LA MALÉDICTION

Du même auteur

LE FLEUVE DÉTOURNÉ, Robert Laffont, 1982.
TOMBEZA, Robert Laffont, 1984.
L'HONNEUR DE LA TRIBU, Robert Laffont, 1989.
LA CEINTURE DE L'OGRESSE, Seghers, 1990.
UNE PEINE À VIVRE, Stock, 1991.
DE LA BARBARIE EN GÉNÉRAL ET DE L'INTÉGRISME EN PARTICULIER, Le Pré aux Clercs, 1992.

Rachid Mimouni

La Malédiction

roman

Stock

ISBN : 978-2-234-02593-6

A la mémoire de mon ami,
l'écrivain Tahar Djaout,
assassiné par un marchand de bonbons
sur l'ordre d'un ancien tôlier.

Celui qui a tué un homme
qui lui-même n'a pas tué
ou qui n'a pas commis de violence sur la terre
est considéré comme ayant tué tous les hommes.

Coran, sourate V.

Émergeant d'une profonde réflexion, Abdelkrim constata avec stupéfaction qu'il était onze heures du soir. Sa grimace augurait de la réception qu'allait lui réserver sa femme : il avait encore raté le dîner. Il se releva avec peine, tenta de détendre ses membres douloureux, éteignit la lumière, puis quitta le bureau. Le grincement de la porte coulissante de l'ascenseur réveilla le gardien qui se précipita pour l'accueillir. Abdelkrim retrouva son chauffeur qui somnolait dans la voiture. Ce dernier releva le dossier de son siège en grognant et adressa un regard chargé de reproches à l'homme qui venait de s'installer auprès de lui.

– Désolé, lui dit Abdelkrim. Je n'ai pas senti le temps passer.

– Ce n'est pas la première fois. Nos femmes vont finir par nous répudier tous les deux, et à juste titre.

Parce qu'il vouait un véritable culte à son patron, le conducteur s'autorisait aussi d'une grande familiarité, née au cours de leurs années de compagnonnage au Maroc, durant la guerre de libération. Revenu au pays à l'indépendance, Abdelkrim avait proposé à son ancien équipier de lui servir de chauffeur.

– Je trouve que le monde est injuste. Là-bas, du côté de Tanger, nous affrontions les mêmes dangers pour libérer la patrie du joug colonial. Te voici directeur, et moi, vulgaire manieur de volant. Pourquoi n'est-ce pas l'inverse ? Mais, par amitié, j'accepte ton offre. Je t'interdis cependant de t'asseoir à l'arrière.

Fort de ce sentiment d'iniquité, Messaoud avait pris l'habitude de se comporter comme s'il était le maître. Il régentait les horaires de son patron.

– Tu peux venir me chercher demain à sept heures ? J'ai un rendez-vous important.

Après s'être enquis de la raison du déplacement et du lieu de destination, le verdict de Messaoud tombait :

– La route est très encombrée. Je serai au pied de ton immeuble à six heures et demie. Ne me fais pas poireauter.

L'itinéraire que suggérait Abdelkrim ne convenait jamais.

– On perdra du temps. La rue est trop étroite, et il y a plein de camions de livraison.

Pour les déjeuners d'affaires, le cornac avait posé ses conditions :

– Je ne veux pas t'attendre dans la voiture, Grand Sachem. Je ne m'installe pas à ta table, mais je mange dans le même restaurant. Moi aussi, j'apprécie la bonne cuisine. Comme je sais qu'il n'y a pas de limites à tes notes de frais, j'aurai plaisir à me goinfrer.

Dès le début, il lui avait précisé :

– Je ne suis pas un forçat du travail comme toi. Je veux pouvoir jouir de mes week-ends et des jours fériés. Par ailleurs, je te ferai le compte méticuleux de toutes mes heures supplémentaires.

En fait, il était d'une disponibilité exceptionnelle.

– Je suppose que le Grand Manitou s'est enfin décidé à rentrer chez lui?

Non. Ma nuit sera longue. J'ai un ami à voir. Je te raccompagne et tu me laisseras la voiture.

– Ça ne peut pas attendre demain?

– Je ne crois pas.

Le chauffeur soupira, faussement contrarié.

– Je ne vais pas te laisser le volant à cette heure-ci, Grand Sorcier. Je vois bien que tu es épuisé. Tu risques de t'endormir en roulant. Il serait regrettable d'esquinter une si belle limousine. En ce qui me concerne, j'ai fait un petit somme en t'attendant. Où allons-nous, Grand Chef?

– J'irai seul.

– Tu me donnes l'impression de porter sur tes épaules les drames du pays tout entier. Cela ne te fatigue pas?

Abdelkrim esquissa un sourire.

– Je suis comme ça. A mon âge, on ne se refait pas.

– Tu finiras par tomber à genoux.

– Ce ne sera pas faute d'avoir résisté. Sois gentil et téléphone à ma femme pour lui dire que je ne sais pas à quelle heure je rentrerai.

– Elle va être furieuse. Elle s'imaginera que tu es allé rejoindre une maîtresse.

– Entre elle et moi, ce genre de soupçon n'est plus de mise.

Abdelkrim dut appuyer à cinq reprises sur le bouton de la sonnette avant qu'on vienne lui ouvrir. Un jeune homme à la mine revêche apparut dans l'embrasure de la porte.

– Oui?

– Ton père est là?

L'adolescent était en train de se frotter les yeux quand la main paternelle se posa sur son épaule pour lui signifier qu'il pouvait aller se rendormir.

L'homme s'effaça pour laisser entrer le visiteur nocturne, puis le guida vers une pièce dont il referma aussitôt la porte.

– Veux-tu boire quelque chose?

– Non, merci.

Abdelkrim se laissa engloutir dans un profond fauteuil.

– Tu as une tête d'outre-tombe, lui fit remarquer son hôte. Ton nouveau ministre envisagerait-il de te limoger?

– J'en ai vu passer une dizaine avant lui, et les plus naïfs d'entre eux devinaient vite que mon poste ne relevait pas de leur compétence.

– Qu'est-ce qui te tracasse alors? Tu n'as pas l'habitude de me rendre des visites de courtoisie à pareille heure.

– C'est mon vieil ami que je viens voir.

– Dans ce cas, tu as besoin d'un café bien fort.

Ils s'étaient connus à la Sorbonne alors que la guerre d'Indochine faisait rage. Ils vibraient pour Hô Chi Minh et rêvaient de voir surgir son émule algérien. Les réunions clandestines des nationalistes les intéressaient plus que leurs cours. Ils devinrent des militants, puis des activistes recherchés, passant de la distribution de tracts à un engagement plus dangereux. Pour échapper à la police, d'un commun accord, ils se réfugièrent en Suisse. En 1954, lors du déclenchement de la lutte armée qu'ils appelaient de tous leurs vœux, Abdelkrim rejoignit le Maroc après un voyage rocambolesque afin d'aider un ami qui mettait sur pied un réseau d'approvisionnement en armes. Belkacem choisit le maquis kabyle où il fut étonné de retrouver ses compagnons d'enfance. Avant de se séparer, ils se donnèrent rendez-vous à Alger, le jour de l'Indépendance, à midi, au pied de la statue du duc d'Orléans.

Ils s'étaient pris à rêver. Belkacem se proposait

de devenir éditeur, car il aimait plus que tout l'odeur du papier neuf et de l'encre fraîche qui salissait les doigts.

Abdelkrim envisageait de reprendre en main les terres familiales pour les couvrir de jasmins et de roses.

– Ce sera très rentable. Les essences de ces fleurs valent plus que leur pesant d'or. Les plus grands parfumeurs du monde me mangeront dans la main.

Mais, sitôt rentré au pays, Abdelkrim fut contraint d'accepter le plus que redoutable poste de Délégué à la Sécurité. En prenant ses fonctions, il croyait que sa tâche consisterait à déjouer les manœuvres des services étrangers. Il fut effaré de constater que c'était dans les allées du pouvoir que fourmillaient les comploteurs. Les nuits d'Alger bruissaient de conciliabules et d'accords secrets. Abdelkrim passait le plus clair de son temps à dissuader les ambitieux ou les aigris de mettre en œuvre leurs projets aventureux. Il préférait recourir à la persuasion mais n'omettait pas de signaler à ses interlocuteurs que d'autres hommes affectionnaient l'usage d'autres méthodes. L'inconscience de certains intrigants le stupéfiait. Savaient-ils qu'ils jouaient leur vie sur une rencontre, un mot, un geste?

– Du centre du pouvoir n'émane qu'une odeur de cadavre en putréfaction.

Abdelkrim se sentait las. Il estimait qu'il avait passé près de trente ans de sa vie à se battre contre des moulins à vent. Il n'ignorait pas que son pays se trouvait engagé dans une ère de turbulences.

– Alors? lui demanda son ami.

– Un formidable coup de poker est en train de se préparer. C'est le pouvoir que le vainqueur ramassera sur le tapis vert.

– Et quel est ton rôle?

Abdelkrim savait que depuis longtemps plus personne ne l'écoutait ni ne lisait ses rapports. Inamovible certes, mais désormais dépourvu de toute influence, il n'était plus qu'un spectateur averti et impuissant des jeux de pouvoir. Sa disgrâce avait commencé lorsqu'il s'était avisé de réfréner les dérives de certains dirigeants qui n'hésitaient pas à user de lettres de cachet pour éliminer leurs opposants. Ses interventions déplaisaient au plus haut point.

Un jour, il s'était insurgé en apprenant l'arrestation d'un ministre qui n'avait plus l'heur de plaire. Lorsqu'il avait su que celui-ci avait été non seulement incarcéré mais torturé, il avait mobilisé une dizaine d'hommes pour le libérer de vive force.

Quelque temps plus tard, l'envoyé qui était venu le voir pour lui signifier son limogeage suait de peur. Sa main tremblante faisait craquer la feuille qu'il tenait.

– Vous êtes mon remplaçant? C'est étrange, je n'ai pas reçu mon avis de mise au rancart. Nos PTT fonctionneraient-ils si mal? ajouta-t-il avec suavité. Il faudrait le signaler au plus vite.

Il avait saisi le document pour le froisser et le jeter à la poubelle.

Abdelkrim se savait intouchable car il détenait d'accablants dossiers sur la plupart de ceux qui habitaient les hauteurs de la ville. On avait donc préféré le mettre progressivement à l'écart en créant des services parallèles aux siens.

– Qu'est-ce qui se passe? lui demanda Belkacem.

– Nous sommes à la veille d'une révolution.

– Le café est froid.

1

Après avoir surmonté un mouvement de répulsion, Kader se força à contempler le visage du cadavre qu'on lui découvrait.

– Vous le reconnaissez? demanda le policier.

Kader se contenta de hausser les épaules. Le corps était dans un tel état qu'il ne pouvait affirmer que c'était celui de son frère.

– Venez avec moi, j'ai besoin de votre déclaration signée.

Leïla l'attendait à la sortie du commissariat.

– Alors? C'est lui?

– Je ne suis sûr de rien et je ne sais comment tu as pu te montrer aussi catégorique.

– Le teint de la peau, les cheveux, la taille...

– Peut-être.

– En six mois, c'est le dixième mort non identifié qu'on me présente. C'est celui qui lui ressemble le plus.

– Tu connais mieux que moi le corps de ton mari.

Kader redressa la tête pour offrir ses joues à la bruine. Il n'éprouvait nulle envie de rentrer chez sa belle-sœur pour épuiser la soirée en un morne et silencieux tête-à-tête.

– J'ai envie de marcher un peu. Je serai là pour le dîner.

Il se mit à longer la Seine sans idée préconçue. Il erra longtemps avant de déboucher sur le parvis du Centre Beaubourg, peuplé de sa faune très singulière. Il pénétra dans l'édifice et se fondit dans l'essaim humain que l'escalier mécanique étirait vers les étages. A la traîne d'un petit groupe, il entra dans une salle où se donnait une pièce de théâtre. Il se souvint d'avoir survolé des yeux une affiche annonçant une « Semaine de la culture beur ». Comme il avait besoin de se reposer, il s'assit. Il tenta de s'intéresser au spectacle, mais les scènes qui se déroulaient sur les planches suscitèrent en lui un malaise persistant. Il eut le sentiment d'assister à une parodie en entendant des paysannes berbères en habit traditionnel parler français. Il se laissa gagner par le sommeil. Ce furent les applaudissements saluant la fin de la représentation qui le réveillèrent. Il attendit que s'écoulât l'épais flux des spectateurs avant de se lever. Au moment de gagner la sortie, il fut vivement hélé. Il eut à peine le temps de se retourner qu'il se retrouva étouffé dans les bras de l'escogriffe qui avait fait vibrer l'estrade et la salle par son poids et ses répliques à la Scapin.

– Tu te souviens de moi ? demanda le géant en desserrant enfin son étreinte.

– Bien sûr, bien sûr, lui certifia Kader, heureux de pouvoir enfin respirer de nouveau, tout en fouillant vainement dans sa mémoire.

– Comment as-tu trouvé le spectacle ?

– Excellent, affirma Kader avec aplomb.

– Tu vis en France, maintenant ?

– Non, je ne suis là que pour quelques jours.

– Si tu n'as rien à faire de ta soirée, viens dîner avec nous. On pourra ainsi discuter et cultiver pendant quelques moments notre nostalgie.

Kader était las, et ce petit monde beur lui restait étranger. Mais il répugnait à l'idée d'affronter sa belle-sœur. Il acquiesça lâchement.

Le groupe des affamés, après un débat contradictoire, opta pour un restaurant tunisien plus réputé pour la jovialité du cuisinier que pour la qualité de ses plats. La salle fut bruyamment investie et plusieurs tables mises bout à bout. Kader occupa la seule chaise restée libre et se retrouva assis face à une grosse femme qui ne cessait de crier « Viva Nicaragua ! » en menaçant les yeux de son vis-à-vis de l'index et du majeur victorieusement écartés. Le grand échalas se trouvait à l'autre bout de la table et Kader, qui n'appréciait guère cette ambiance de fêtards bien décidés à s'amuser, se sentit agacé au plus haut point. Canines agressives, il finit par demander à sa voisine la raison de son lancinant leitmotiv. Cette dernière prit le retroussis de ses lèvres pour un sourire engageant. Elle entreprit alors de lui conter par le détail sa mémorable équipée en Amérique centrale. Kader faisait mine de l'écouter en grinçant des dents.

– Ils baisent bien, les sandinistes?

La brutale apostrophe laissa son interlocutrice ébahie. Elle se mit à cligner vivement les paupières puis choisit de s'esclaffer avant de reprendre, obstinée, le récit de son aventure.

– Nous étions une dizaine de filles et, après avoir transité par Cuba, nous avions embarqué sur un navire clandestin en direction du Nicaragua.

Les lèvres de Kader se distendirent davantage.

– Je suis sûr que ce fut votre prompt renfort qui mit en déroute la formidable armée de Somoza. Daniel Ortéga a dû vous vouer une éternelle reconnaissance. Mais lui aussi a cédé la place.

La jeune fille assise à la gauche de Kader ne put s'empêcher de pouffer de rire avant de lui murmurer :

– Ghislaine est une chic fille. Pourquoi tu lui cherches des crosses?

– Elle m'emmerde.

– Tu n'es pas obligé de l'écouter.

– Tu vois bien que si. Je suis acculé dans les cordes. Qui pourrait bien me sauver? Toi?

– C'est parce que tu es le seul parmi nous à ne pas connaître sa geste nicaraguayenne. Ce fut son heure de gloire. A chacun la sienne.

A la sortie du restaurant, les dîneurs se dispersèrent sans que Scapin eût adressé le moindre mot à Kader. Ce dernier se détourna en haussant les épaules. Il se retrouva face au sourire de celle qui avait pris la défense de Ghislaine.

– C'est toujours comme ça que ça se passe, lui assura-t-elle. Il est tellement occupé à parler qu'il en oublie tout le reste.

Kader ne s'en montra guère affligé. Il décida de rentrer, estimant que sa belle-sœur devait être couchée à cette heure tardive.

– Où est la station de métro la plus proche?

– Je m'appelle Louisa. Suis-moi, j'y vais aussi. Tu viens d'Alger?

– Oui.

– Qu'est-ce que tu fais dans la vie?

Kader ébaucha un geste vague.

– Mais si seulement je le savais! Si tu veux savoir quel est mon métier, je peux te dire que je suis médecin.

Louisa le fixa d'un air narquois.

– C'est drôle, remarqua-t-elle.

– Vraiment? C'est pourtant une vieille profession. Hippocrate m'a précédé d'une vingtaine de siècles.

– C'est à croire que l'Algérie n'est peuplée que de cadres et d'universitaires. Comment fait-on donc là-bas pour enlever les ordures, repeindre un mur ou réparer une chaussure? Ils n'y a ni balayeurs ni plombiers? Un chauffeur ou un employé de mairie, débarqué à Paris, se déclare aussitôt étudiant. Ça fait plus chic. Ça aide à séduire les cousines beurs, tenues pour moins farouches que les autochtones. Toi, tu t'es offert quelques années d'avance sur tes compatriotes : tu es déjà médecin.

Surpris par la brutalité de l'attaque, Kader se figea sous la lumière blême d'un réverbère. Il était moins furieux que désolé de la méprise. Il fixa les grands yeux de Louisa, qu'un sentiment de regret commençait à troubler.

– A la réflexion, dit-il, je crois que je saurai trouver tout seul la bouche de métro.

Il s'éloigna à pas vifs. Après avoir essayé plusieurs chemins, le jeune homme finit par découvrir l'entrée de la station. Accoudée à la rampe de l'escalier, Louisa l'attendait.

– Tu avais pris la mauvaise direction, lui lança-t-elle, après avoir expulsé un jet de fumée.

Kader tentait de faire bonne figure.

– De toute façon, poursuivit-elle, il est trop tard. Le dernier est passé.

Ils se retrouvèrent à la table d'un café.

– Désolée pour tout à l'heure, lâcha Louisa.

Elle fumait cigarette sur cigarette. Son compagnon le lui fit remarquer.

– C'est le médecin qui parle?

– Tu es prompte à sortir tes griffes.

– Je fume par vengeance, déclara-t-elle sombrement.

Kader se mit à la détailler sans vergogne tandis qu'elle faisait mine d'observer ce qui se passait autour d'elle. Elle se laissa admirer sous tous ses profils. Belle, et sans aucun doute consciente de son charme. Kader serait volontiers resté à la contempler jusqu'au matin, mais elle se leva brusquement.

– Dans quel hôpital travailles-tu?

– A Mustapha.

– Alors à bientôt.

Kader n'eut pas le temps d'esquisser un geste d'adieu. Elle avait déjà disparu. Il eut l'impression que minuit venait de sonner et que le carrosse redevenait citrouille.

Kader prit soin de tourner doucement la clé afin de ne pas réveiller sa belle-sœur. Mais cette dernière l'attendait. Kader ressentit vivement la lâcheté de sa fuite et adressa à Leïla un sourire contrit en guise d'excuse.

– Le dîner est froid, lui dit-elle d'un ton qui se voulait dénué de reproche. Je vais aller le réchauffer.

– Je n'ai pas très faim.

– Moi si. Je n'ai pas encore mangé.

Honteux, le médecin la rejoignit dans la cuisine.

Il admirait cette fille dont le caractère s'était

trempé dans la fange d'une adolescence sordide. Sa mère, paysanne soumise et aboulique, avait eu pour premier mari un ouvrier d'usine si terne et effacé que son contremaître ne le remarqua que le jour de sa première absence, celui de sa mort. L'épouse avait pourtant réussi à déifier ce personnage neutre et transparent. La disparition du seigneur laissa la veuve désemparée. Elle confia alors son sort à son fils, âgé de dix-sept ans. Le nouveau chef de famille n'entendait pas suivre la voie de son honnête géniteur. L'ancien oisif, désormais chargé d'assurer la subsistance familiale, s'acoquina avec un bimbelotier ambulant qui achetait en sous-main divers produits des supermarchés d'État pour les revendre dans les souks de la région. En vue d'améliorer le rendement de leur association, le fils proposa à son partenaire d'épouser sa mère. Intéressé par l'appartement qui allait lui permettre de quitter son bidonville, le marchand itinérant accepta. La mère, heureuse de partager de nouveau son lit, ne fut pas longue à se laisser persuader d'apporter sa contribution au commerce familial. Elle se mit donc à passer ses journées en queues patientes et souvent infructueuses devant les magasins publics. C'est qu'elles se comptaient par centaines, les femmes qui alimentaient le marché noir, arrivées bien avant l'ouverture des portes et qui se précipitaient, dès que pivotaient les battants, vers l'immense surface aux rayons souvent vides, guettant la mise sur étal de quelque produit introuvable ailleurs. Ce nouveau renfort aida à augmenter le chiffre d'affaires et à donner corps à de nouvelles ambitions. L'adolescent se lança dans un nouveau négoce, plus rentable mais plus dangereux, qui consistait à ramener par la voie du désert divers articles achetés à vil prix en Libye où ils abondaient. Au cours du premier périple, il s'égara dans les sables et faillit mourir de soif; au retour du second, il fut appréhendé par des douaniers véreux qui n'acceptèrent de le libérer qu'en échange de sa cargaison; il disparut lors du troisième. Le parâtre ne s'en montra guère affecté. Au contraire, il fut ravi de se savoir devenu le seul maître au logis. Il se proposa donc de mettre au pas Leïla dont il n'avait pas réussi à abattre les réticences. Il tenta de la convaincre de quitter le lycée pour aller tenir auprès de sa mère une place dans la file, mais il n'eut droit qu'à un lourd regard. Depuis longtemps déjà, la jeune fille vivait en marge de la famille. Sitôt rentrée, elle s'enfermait dans sa chambre pour se consacrer à ses cours avec un sombre acharnement d'autodidacte. Elle ne reparaissait qu'à l'heure du dîner, retranchée dans son mutisme, et s'éclipsait dès la vaisselle faite. Les grivoises plaisanteries du parâtre, que l'absence du frère enhardissait, allaient s'écraser contre le dos indifférent de la lycéenne occupée à laver les assiettes et ne parvenaient qu'à provoquer le rire niais de l'épouse. Le marchand refusait de s'avouer que Leïla l'intimidait. Il admirait hargneusement sa gracile allure, la finesse de ses traits, la délicatesse de ses gestes et jusqu'à cette taille élancée qui permettait à l'adolescente de laisser couler vers lui le noir dédain de son regard. Il s'étonnait qu'une paysanne pataude eût pu donner le jour à cette ravissante fleur d'ombre. Et la beauté de Leïla ne faisait que cristalliser la rancœur du trafiquant. Notant l'élégance de sa mise, il ne manquait pas de reprocher à la mère les goûts dispendieux de la jeune fille.

– Ta fille se prend pour une reine. Toi et moi nous trimons à longueur de journée pour entretenir la belle, qui en retour ne consent même pas à nous faire l'aumône d'une parole, encore moins d'un sourire. Nous usons nos forces tandis qu'elle prépare son avenir. Ses études terminées, elle n'aura aucune peine à trouver un beau parti et ne manquera pas de nous tirer aussitôt la révérence. Elle refusera de nous présenter à ses beaux-parents, car elle aura honte de nous et craindra de déchoir à leurs yeux. Elle ne songera même pas à te rendre visite.

A mesure que le temps passait, le bimbelotier se montrait de plus en plus acariâtre, accusant sa femme de conforter sournoisement sa fille dans son attitude.

– Je sais que tu lui donnes de l'argent en cachette. Et elle ne se prive pas de le dépenser en colifichets et produits de beauté. Cela ne peut plus durer.

Le commerçant, qui avait pris la précaution de mettre l'appartement à son nom sous un vague prétexte administratif, menaça de jeter mère et fille à la rue. La jobarde, effrayée, protesta, supplia, puis se retourna vers sa fille pour lui demander de surveiller sa tenue et d'offrir à son tuteur un visage plus avenant. Mais Leïla, toujours aussi silencieuse et lointaine, laissait glisser sur la carapace de sa hautaine indifférence les pathétiques exhortations de l'une et les triviales remontrances de l'autre.

Par la suite, le négociant chercha à choquer et humilier l'inaccessible Leïla à travers sa mère. Il se laissait surprendre en train de peloter la paysanne qui gloussait de volupté. La nuit venue, il lui faisait l'amour bruyamment, porte de la chambre ouverte, et ahanait sur elle en la traitant de tous les noms, certain que la jeune fille ne perdait rien de leurs ébats ni des qualificatifs qui fusaient dans le silence. Il veillait à se promener en tenue légère dans l'appartement. Assis, il faisait mine d'ignorer le glissement du pan de peignoir qui découvrait son sexe au moment même où paraissait sa fille adoptive. Peine perdue! Leïla restait sourde et aveugle. Elle allait et venait, plus fluide qu'une ombre, ignorant les gestes et les propos de la mère et du parâtre.

Après ces déconfitures renouvelées, le camelot crut enfin avoir découvert le moyen d'abattre la résistance de Leïla. Il était de ceux qui pensaient qu'une femme une fois renversée sur le dos devenait à jamais soumise, et que le sexe restait le meilleur instrument pour dominer une femelle. Le mufle se mit à jouer au godelureau en caressant ses moustaches, soudain aimable et même galant. Le premier regard de Leïla le dissuada de poursuivre dans cette voie.

Il choisit alors d'entreprendre sa stupide compagne, qu'il savait maniable à souhait. Après l'avoir boudée au lit durant une quinzaine de jours, il lui déclara :

– Tu te fais vieille. Je n'éprouve plus aucun désir pour toi. Je crois que j'ai besoin d'une femme plus jeune et plus attirante. Qu'en penses-tu ?

C'était le meilleur moyen de provoquer la panique chez celle qui ne pouvait concevoir sa vie sans maître à révérer ni lit à partager.

Le colporteur commença à boire, à découcher, à la battre. Elle fut longue à capituler, mais finit par admettre l'arrivée d'une rivale, estimant que cela lui permettrait de garder le maître en partageant le mâle.

– Certes, lui fit valoir le mari, mais tu devines bien que je ne pourrai plus vous garder ici, ta fille et toi. Ma nouvelle épouse n'accepterait jamais de cohabiter avec vous.

Guidée par la menace, la violence et la ruse, la femme parvint au point exact où voulait la mener le marchand.

– Je crois, lui certifia-t-il, que c'est la meilleure solution. Je n'aurai pas besoin de me remarier, nous pourrons continuer à vivre ensemble, et comme je suis stérile, il n'y aura pas de complication. Et le jour où Leïla trouvera bague à son doigt, elle s'en ira avec notre bénédiction et le trousseau que nous lui aurons constitué. Tu sais, aujourd'hui, la virginité d'une fille, cela ne veut plus rien dire.

– Tu crois que Leïla acceptera?

– J'en fais mon affaire, lui assura l'époux.

Lorsqu'elle s'entendit proposer un rôle de concubine, pour ajouter l'incestueux à l'illégal, Leïla ravala son indignation et son dégoût, et menaça de prévenir la police.

L'homme fit mine de capituler. Il élabora un nouveau stratagème. A plusieurs reprises, il tenta de la surprendre nue dans sa chambre ou dans la salle de bains. Mais Leïla se méfiait. Elle ne s'endormait qu'après avoir verrouillé sa porte, ne se douchait qu'en l'absence du satyre, évitait de rester dans l'appartement lorsque sa mère vaquait à sa tâche de pourvoyeuse des étals du marchand.

Un jour, le parâtre la surprit revenant du lycée en compagnie d'un garçon à qui elle souriait beaucoup. Il se rua sur elle pour la couvrir de gifles puis, la saisissant par la nuque, la ramena à la maison sous une pluie d'injures. Il expliqua à la mère éplorée :

– J'ai admis que ma proposition pouvait offusquer une farouche vierge. Mais que penses-tu de l'attitude de ta pute de fille qui préfère fréquenter les voyous de la ville?

Et, sur le lit conjugal, tandis que la mère

entravait les bras de Leïla, le parâtre s'avança en lui écartant de force les cuisses.

La victime resta plusieurs heures à vomir. A sa complice inquiète, le violeur déclara :

– Ne t'alarme pas. Aucune femme n'est morte d'avoir été déflorée. Ce n'est que du chichi. Demain, elle viendra en redemander, tout comme toi.

Leïla se réfugia durant quelques jours chez une tante qui lui conseilla d'aller se reposer chez son fils installé en France. Leïla se retrouva à Paris en train d'exiger de l'employé de la compagnie aérienne le remboursement en francs du billet retour qu'elle avait payé en dinars.

– C'est impossible, mademoiselle. La réglementation nous l'interdit.

– Quelle réglementation? Pourquoi m'a-t-on obligée à prendre un aller-retour? Je ne veux pas revenir là-bas.

Devant l'obstination de son interlocutrice, l'agent excédé décida d'appeler à la rescousse son chef de service.

Hocine, le frère aîné de Kader, se présenta pour écouter les doléances de la cliente. Ce fut ainsi qu'ils firent connaissance.

Kader observait Leïla dont les gestes vifs, malmenant les ustensiles, exprimaient la nervosité.

– Alors? lui demanda-t-elle enfin.

Depuis sa sortie du commissariat, le doute n'avait cessé de tarauder Kader. Le cadavre supposé de Hocine était méconnaissable et il se demandait comment Leïla avait pu se montrer si affirmative.

– Je n'ai rien pu certifier. Mais si tu maintiens qu'il s'agit du corps de Hocine, je ne peux que te suivre.

Mais le malaise de Kader persistait.

Hocine avait disparu six mois auparavant dans des circonstances mystérieuses. Leïla avait affirmé qu'elle ignorait tout des motifs de cette fugue, se contentant de préciser que son mari supportait de plus en plus mal son exil forcé.

Hocine semblait cultiver l'art de s'empêtrer dans des situations impossibles. Employé dans l'agence de Paris d'une compagnie algérienne, il avait reçu, un jour de janvier, son ordre de mutation pour Annaba. Dans une longue lettre qu'il adressa à son directeur, Hocine rappela que son contrat spécifiait qu'une nouvelle affectation ne pouvait intervenir qu'à l'issue de la période convenue. Arguant du fait que sa femme suivait des cours, il demanda un sursis jusqu'à juin. Après deux mois de silence, il reçut notification de son renvoi pour abandon de poste. Il menaça alors d'aller en justice. Sa toute-puissante société n'en tint aucun compte. Elle croyait pouvoir se comporter avec lui comme elle le faisait pour ses salariés au pays, ignorant que Hocine relevait de la législation française du travail. Elle fut condamnée à une lourde indemnité pour licenciement abusif. Elle dut payer, mais communiqua son nom à la police des frontières. Hocine ne pouvait plus remettre les pieds dans son pays natal. Il ne cessa de remâcher sa rancœur. Il rompit avec tous ses amis et se mit à fréquenter assidûment la mosquée.

– J'ignorais à quoi il occupait ses journées. Mes questions ne suscitaient que de vagues grognements, mais il tenait parfois d'étranges propos. Il m'affirmait que la revanche était proche.

Leïla n'avait rien avalé du plat qu'elle avait posé devant elle. Sa prétendue faim n'était sans doute qu'une forme de reproche.

Kader se souvenait de l'époque heureuse que Leïla nommait « le temps des lilas », par référence à la station de métro proche de l'appartement. Il se rendait alors très souvent à Paris. A l'aéroport, il découvrait sa belle-sœur qui l'attendait en trépignant. Dès qu'il déposait sa valise, elle l'entraînait dehors, impatiente de lui faire connaître tous les trésors de la grand-ville pour laquelle Henri IV abjura. Elle l'incitait à se lever tôt et, dès le départ de Hocine, elle l'emmenait à travers les rues. Kader ne pouvait oublier ces longues promenades au cours desquelles le sein ferme et doux de Leïla venait s'écraser contre son omoplate avec une insistance qu'il se devait de mettre au compte de l'inadvertance. D'étranges maladresses favorisaient de brefs frôlements de main, et la trouble lueur de leur regard soulignait leur émoi réciproque. Si la pluie les dissuadait de sortir, ils s'installaient au salon et se mettaient à deviser si gaiement qu'ils ne voyaient pas le temps passer. Kader avait noté que la présence de Hocine tempérait la joie de Leïla et que ses rires s'étranglaient dès l'entrée de son mari. Il dut espacer ses visites.

– Si tu es certaine de ce que tu as déclaré, il nous faut songer à rapatrier son corps.

– Je crois que l'enquête de police sera longue. On ne pourra pas en disposer avant sa conclusion.

– Et toi, que penses-tu faire?

– Chercher du travail.

2

La jeep militaire qui guidait la procession de lourds véhicules ralentit, puis s'arrêta. Les camions s'alignèrent sagement derrière elle et les conducteurs émergèrent, minuscules, de leur haute cabine pour aller rejoindre le chef d'escorte.

– C'est ici que nous vous quittons. Nous n'avons pas le droit de poursuivre au-delà. Il vous faudra continuer seuls. Devant vous s'étend un no man's land large d'environ deux cents kilomètres. Comme le bornage frontalier n'a pas encore été achevé, on ne sait pas à quel pays appartient cette bande. Pour éviter tout conflit avec nos voisins, il a été convenu de l'interdire aux troupes armées. Inutile de vous préciser que la zone étant hors contrôle, il y règne une belle anarchie. On nous a signalé que plusieurs bandes de pillards écumaient la région. Vous devez donc vous méfier.

L'officier, après quelques secondes de silence, ajouta :

– Vous êtes prévenus.

Le chef de convoi lissa ses moustaches.

– Ils savent, dit-il. Ils sont tous volontaires.

– Eh bien, bonne route, conclut le gendarme. Au premier incident, contactez-moi par radio.

– Entendu.

Le capitaine caressa la visière de sa casquette en guise de salut puis sauta sur le siège de la jeep qui fit demi-tour et s'éloigna rapidement.

– Bon, cria le chef de convoi, donnant de la voix pour signifier qu'il recouvrait toute son autorité. Nous faisons une pause déjeuner d'un quart d'heure. Après, il nous faudra tracer. Il ne s'agit pas de lambiner dans le secteur.

Saïd ne supportait pas son supérieur. Il abandonna le groupe et alla s'installer à l'ombre de son véhicule. Il fut rejoint par Hamid, un jeune conducteur spécialement recruté pour cette mission. Ce dernier s'assit à son côté et entreprit de déballer ses provisions.

– Pourquoi tu as choisi ce boulot? demanda le novice.

– Pour échapper aux questions stupides des emmerdeurs, répliqua Saïd avec hargne. Je constate que, pour cette fois, c'est raté.

L'entreprenant jeune homme ignora la grogne du routier.

– Alors? insista-t-il avec un sourire désarmant de candeur.

– Disons que je suis asthmatique. Pour respirer à mon aise, j'ai besoin d'un espace sans barrières, ni murs ni clôtures. Je déteste les rails des autoroutes. Là-haut, sur les routes du Nord, je me sens bridé, j'étouffe. Je sais la cause de ma maladie : je suis allergique à mes semblables. Ici, je me sens seul au monde, et mes poumons enfin se détendent.

– Moi, j'ai accepté cette mission pour visiter le Sahara à l'œil. Les prospectus le disent fascinant. Je t'avoue que je suis déçu. Je ne vois que de la rocaille. Moi, c'est d'avaler toute cette poussière qui m'étouffe. J'ai envie de faire demi-tour.

Saïd laissait déblatérer son interlocuteur avec une indifférence qu'il ne cherchait pas à dissimuler. Il se leva au milieu d'une phrase, grimpa dans la cabine pour y chercher sa gourde. Il avala le liquide tiède par gorgées bien espacées afin de se rincer la gorge. De loin, le chef de convoi leur demanda de le rejoindre. Après s'être octroyé une dernière rasade, Saïd s'ébranla mollement.

Lorsque tout le monde se trouva rassemblé autour de lui, le responsable leur fit part de ses instructions.

– Nous allons rouler en convoi rapproché. Ne laissez pas se creuser d'écart entre vous. Il faut permuter l'ordre des camions. Toi, Saïd, tu es l'un de ceux qui connaissent le mieux la région. Tu rouleras en queue. Si l'un de ceux qui te précèdent a un pépin, tu lui donneras un coup de main. Moi, j'ouvrirai la route. Au moindre problème, je vous préviens par radio.

Les hommes retournèrent à leur véhicule sans émettre de remarque.

Saïd regagna son siège, s'y carra, l'échine écrasant la mousse du dossier, ajusta ses lunettes, réarrangea son turban saharien et mit en marche le moteur.

Le convoi s'ébranla.

Le chef de l'expédition fut le premier à déceler la présence du groupe de méharistes, trop tôt trahis par un défaut de la haie rocailleuse derrière laquelle ils s'abritaient.

– Gaffe aux pillards! grésilla le haut-parleur.

Saïd jeta un regard dépité vers l'escouade qui s'élançait à leur poursuite, fusils brandis au-dessus de leur tête, excitant leur ardeur par des cris stridents.

– Trop tard, râla-t-il. Ils ne nous rattraperont jamais.

Leur accélérateur sollicité, les mastodontes creusèrent aisément l'écart. Face aux diesels sophistiqués, les assaillants n'avaient aucune chance, en dépit du mauvais état de la piste. Voyant leur espoir s'amenuiser, ils commencèrent à ralentir l'allure avec de grands gestes de frustration. Mais ils ne tardèrent pas à remarquer que le véhicule de queue perdait du terrain. Il semblait en difficulté. Les méharistes se remirent à talonner leurs bêtes.

– Je n'arrive plus à contrôler ma remorque,

hurla Saïd dans le micro. Je crois que j'ai une roue crevée. Je dois ralentir.

– Pas question! nasilla le haut-parleur.

– Je risque de me renverser.

– Fonce toujours, lui ordonna son chef.

Saïd finit par stopper. Il observa dans le rétroviseur la horde qui se rapprochait. Avec de grands cris de victoire, les pillards entourèrent le véhicule immobile, armes pointées sur le conducteur. Saïd se demandait si les balles de leurs ridicules mousquetons arriveraient à érafler le pare-brise.

– Et si je redémarrais en les plantant là?

Mais les cavaliers continuaient à parader devant l'engin d'acier. Ils étaient assurés que la proie ne pouvait leur échapper. Saïd fit rugir son moteur et quelques chameaux effrayés faillirent renverser leur maître. Dès que le grondement diminua d'intensité, la haie de fusils se rapprocha. Saïd sortit le bras pour leur faire un signe apaisant avant d'ouvrir lentement la portière. Il se hasarda à l'extérieur puis ôta son turban et ses lunettes, comme s'il se démasquait.

Sautant de sa monture, un homme s'élança vers lui, son sabre haut brandi. Un cri perçant figea l'agresseur. Saïd adressa un sourire narquois au méhariste soudain pétrifié et lui emprunta son arme. Il se dirigea vers l'arrière du camion. Parvenu près d'une roue, d'un geste vif, il trancha le pneu, qui expira furieusement.

L'homme à la voix stridente qui commandait

la troupe rejoignit le camionneur. Ils échangèrent un regard complice.

– On m'a parlé de toi.

Saïd hocha la tête d'un air entendu. Il se surprit à examiner les rares poils blancs et frisés sur les joues ingrates du Targui. Il devait avoir quatre-vingts ans passés en dépit de sa fière allure. Saïd eut de la commisération pour ce vieillard réduit à vivre de rapines. Il imaginait sans peine que l'aristocrate qui se tenait devant lui avait connu un sort meilleur. La sécheresse persistante et les tracasseries policières des pays environnants avaient transformé les seigneurs du désert en forbans. On exigeait d'eux des passeports, alors que depuis des temps immémoriaux ils allaient où bon leur semblait. Ils devaient désormais exciper d'une nationalité, eux dont le royaume couvrait plusieurs pays. Ce fut ainsi qu'on leur fit perdre le contrôle des routes du sel et de l'or. Ces hommes au front haut connurent l'humilité et la misère.

Les révoltés n'ont point besoin de mots pour se comprendre. Il leur suffit d'un regard.

– Je vous conseille de vous dépêcher, lui dit Saïd. Mon chef a sûrement prévenu le poste de gendarmerie. On ne va pas manquer de lancer une patrouille à ma recherche, puis à votre poursuite. Méfiez-vous des hélicoptères. Ces engins du diable auront vite fait de vous repérer.

– Nous avons l'habitude, répondit le meneur du peloton. Nous savons comment les tromper.

Il fit un signe et plusieurs hommes se précipitèrent vers la remorque. Une barre de fer força le cadenas, faisant pivoter les battants. Les pillards ravis découvrirent les sacs de riz sagement entassés. Le chargement fut transféré sur les bâts des chameaux avec une incroyable rapidité.

La caravane s'éclipsa subrepticement. Saïd fut un moment tenté de suivre ces hommes. Il souhaitait confusément partager leur existence âpre et dangereuse où ne comptaient que les actes essentiels, ceux qui permettent la survie, hors toutes fioritures. Il considérait qu'il était plus salutaire de se battre pour du pain que pour des idées.

Restés seuls, Saïd et le Targui, après avoir longtemps suivi des yeux la caravane qui s'éloignait, se firent face.

– Tu vas avoir des ennuis, dit le vieil homme d'un ton placide, comme s'il annonçait qu'un vent de sable allait se lever et qu'aucune force au monde n'aurait le pouvoir d'apaiser la tempête.

Saïd eut un geste fataliste.

Il y eut une lueur d'admirative compassion dans le regard du Targui. Il faillit émettre un mot de remerciement, mais se ravisa aussitôt et tourna le dos au routier.

Saïd leva la main en guise d'au revoir.

– Ne t'en fais pas, assura-t-il à celui qui s'éloignait, je m'en sortirai.

Un obsédant bourdonnement de mouches vint violer le silence du désert, réveillant Saïd qui dormait sous son véhicule. Il redressa le buste et se mit à scruter le lointain. Il ne put rien distinguer, mais il savait que le désert, sous son air impavide, cachait un caractère facétieux, aimant jouer à dérouter les voyageurs, brouillant les pistes et faussant les distances. Une ombre aperçue au loin pouvait se révéler très proche, un bruit insistant avoir une source très lointaine. Il fallait éviter de se laisser surprendre.

Saïd se releva en maugréant. Il eut à peine le temps de s'asseoir sur le marchepied du camion que la première des trois jeeps freinait brutalement à ses pieds, projetant une gerbe de sable sur ses souliers.

Le capitaine se rua sur lui.

– Alors ? lui demanda-t-il.

Saïd l'accueillit d'un sourire.

– Une roue a crevé, expliqua-t-il.

– Et, comme par hasard, cela s'est passé juste au moment de l'attaque. Fâcheux, non ?

– Les incidents, par définition, peuvent arriver n'importe quand. Surtout aux pires moments.

L'officier fit le tour du véhicule, puis revint se planter face à Saïd.

– Les pneus sont pratiquement neufs.

– Oui, mais le camion était chargé. Ajoutez à cela la chaleur qui ramollit le caoutchouc. Et nous étions sortis de la piste. Regardez autour de vous. Le sol est jonché d'éclats de pierre plus acérés que des lames. Savez-vous que les lointains ancêtres de nos pillards en faisaient les pointes de leurs redoutables flèches ?

– Je manque de culture, mais je ferai expertiser la roue. Je constate que ces sauvages ne t'ont pas égratigné, ajouta-t-il.

– Vous auriez voulu que mon cou soit tranché par un sabre flamboyant ? s'esclaffa Saïd. Rassurez-vous, cela a failli se produire.

– Je sais qu'ils n'ont pas l'habitude d'épargner leurs victimes.

– C'était le chargement qui les intéressait.

– Quelle direction ont-ils prise ?

– Par là, indiqua le routier d'un geste vague.

– Cela ne veut rien dire.

– Je sais.

– Tu sais bien trop de choses à mon goût. De plus, je constate que tu n'as pas l'air de prendre l'affaire au tragique.

– Je n'en vois pas la raison. Ce riz était destiné aux enfants du Sahel. Mais pourquoi refuser de secourir ceux qui crèvent de faim à quelques lieues plus au nord ? Notre fier gouvernement, qui ne cesse de vilipender les médias étrangers, n'en subit pas moins leur influence. Il envoie les vivres là où se sont baladées les caméras occidentales, mais ignore ceux qui ont l'élégance de mourir discrètement. Pourquoi privilégier ceux-ci aux dépens de ceux-là ? C'est sans doute que les sacs distribués ici n'auraient les honneurs d'aucun journal télévisé.

– Tu estimes qu'on doit encourager ces razzias?

– Je vous rappelle que j'ai été attaqué par une troupe armée et qu'il m'était impossible de lui résister.

– Tu vas nous accompagner au poste.

– Il faut d'abord changer la roue.

– Qu'est-ce que tu attends?

– J'ai besoin d'aide.

L'officier demanda à son chauffeur de seconder Saïd et ordonna aux deux autres jeeps de se lancer à la recherche des pillards.

Saïd sauta sur ses pieds à l'entrée du factotum qui lui apportait le plateau du petit déjeuner, réduit à un verre de thé et quelques dattes.

– Je veux voir le capitaine. Et ne me dis pas une nouvelle fois qu'il n'est pas là.

– Si, aujourd'hui, il est dans son bureau. Je vais le prévenir.

Le gendarme revint au bout de quelques minutes et invita le prisonnier à le suivre. Il le fit entrer chez l'officier. Ce dernier lui désigna un siège sans relever la tête.

– Il paraît que vous n'avez pas cessé ces derniers jours de harceler mes agents. Que voulez-vous?

– Vous allez me garder encore longtemps ici?

– J'ai rédigé et expédié mon rapport. J'attends les instructions.

– Mais pourquoi suis-je détenu ?

– Parce que votre cas n'est pas clair.

Saïd refréna de justesse un geste d'exaspération. Le gendarme le fixa avec défi.

– Je vous ai pourtant tout raconté, et dans les moindres détails.

– Je ne suis pas convaincu de la véracité de vos dires.

Aucun d'eux n'était dupe. Saïd mentait avec aplomb et son interlocuteur n'ignorait pas qu'il lui racontait des fariboles. Il avait longuement étudié le dossier de Saïd, qu'il avait reçu la veille. Il ne comprenait pas qu'un diplômé en droit ait choisi le métier de conducteur de poids lourd.

– Tu aurais pu être juge, avocat ou procureur.

– Avocat ? Comment croire en ces lois formelles qu'on voit quotidiennement bafouées ? Procureur ? Je me sens incapable de requérir contre le pire des criminels. Juge ? On s'exerce à punir, jamais à comprendre.

Le gendarme refusait d'admettre l'attitude de Saïd.

– Je suis comme ça. Je ne vais pas me refaire.

Observant cet homme bourré de certitudes, qui croyait en sa mission, parlait de devoir, invoquait la loi, Saïd se demandait s'il appartenait à la même espèce.

– Ton cas m'intrigue, lui avoua l'officier. Tu sais bien que la zone placée sous ma surveillance, délimitée par deux frontières plus que floues, est le lieu de tous les trafics et contrebandes. Je ne peux pas écarter l'hypothèse de ta collusion avec les pillards.

– Vous me croyez capable de me servir de la faim de ces pauvres gens?

– Je suis en train de tirer ma troisième année ici. Cela m'a largement donné le temps de perdre ce qui me restait d'illusions sur le genre humain. Je trouve plus que suspecte ton opportune crevaison.

Saïd lui fit remarquer qu'ils appartenaient à des mondes si différents qu'ils n'arriveraient jamais à se comprendre.

Le militaire eut l'idée d'inviter Saïd à l'accompagner durant sa tournée d'inspection. Il espérait lui faire prendre conscience de la gravité de son acte.

A la vue de la jeep, ils s'étaient accroupis en signe de soumission. Ils n'étaient plus qu'une trentaine, les rescapés de l'âpre remontée vers le nord. Ils ne comprenaient rien à ce qui leur arrivait. Ils ignoraient où ils allaient, mais savaient ce qu'ils fuyaient. Ils avaient dû quitter la terre des ancêtres parce que après une décennie de sécheresse ils avaient perdu l'espoir de voir repousser l'herbe dont se nourrissaient leurs troupeaux. Ils avaient eu à subir les exactions d'une soldatesque incontrôlée qui les accusait de « franchissement illégal des frontières », eux qui n'avaient jamais connu, au cours de leurs immémoriales pérégrinations, que des espaces sans limites. Persécutés, rançonnés, humiliés, les maîtres du désert s'étaient résolus, la mort dans l'âme, à remonter vers les contrées où la roche cède place au sable. Ils dormaient rarement au cours de leurs bivouacs inquiets. Encore exténués, ils repartaient dès l'aube, toujours droit devant. Seuls les cadavres qui jalonnaient leur route mesuraient le chemin parcouru.

Ils étaient là depuis trois jours, sous le soleil cru, hâves et le regard halluciné. Ils attendaient. Ils avaient vécu tant d'épreuves que leur sort ne leur importait plus. Ils se contentaient d'obéir aux ordres des gendarmes.

– Ils nous arrivent ainsi par centaines, déclara le capitaine. Il nous faut les nourrir, les soigner, mais surtout les rassurer, les convaincre que nous n'en voulons pas à leurs pauvres biens. Si nous envoyons des vivres à ceux restés là-bas, c'est pour éviter de les voir suivre le même chemin ou se constituer en bandes armées pour vivre de rapines, comme ceux à qui tu as livré ta cargaison. D'autant plus que ces pillards ne font pas qu'attaquer les caravanes, ils servent de passeurs à des organisations clandestines qui se fournissent en drogue et en armes chez nos voisins, supposés amicaux, mais qui veillent à entretenir chez nous le feu de la discorde. L'herbe finançant l'acier, nos nouveaux Assassins se promettent de mettre le pays à feu et à sang. Comme tu le constates, les choses ne sont pas aussi simples.

Sur le chemin de retour, l'officier apprit à Saïd qu'il avait décidé de le libérer, parce que sa présence l'encombrait et qu'il ne voulait pas immobiliser plus longtemps le véhicule de l'entreprise de transport.

– Ton chef m'a informé qu'il te suspend jusqu'aux conclusions de l'enquête. Dès ton arrivée à Alger, il te faudra rendre le camion.

En récupérant son engin, Saïd jubilait comme un enfant devant un nouveau jouet. Le ronronnement du moteur qui chauffait l'emplissait de volupté. Après avoir consulté sa montre, il se lança à l'assaut du vallonnement infini des dunes. Il se dit que le monde devrait bannir toutes clôtures et toutes balises, afin qu'on pût circuler sans entrave ni itinéraire. Durant deux heures, il roula ainsi à fond de train, chantant à tue-tête, ivre de liberté et d'espace. Puis il stoppa afin de détacher la remorque.

– Attends sagement mon retour, lui dit-il avec ce ton enjoué des solitaires qui finissent par contracter la manie de s'adresser à haute voix à eux-mêmes et à leurs objets familiers.

Saïd regagna son siège.

– J'espère qu'ils n'ont pas changé de lieu de rendez-vous.

Mais les bédouins avaient devant eux l'éternité. Au lieu coutumier de leur halte, ils étaient assis côte à côte, immobiles et silencieux. Leur impassibilité le disputait à celle du désert.

Saïd stoppa à quelques pas du groupe. Il eut conscience de troubler ainsi le calme de l'endroit et sa fébrilité lui parut incongrue. Depuis combien de jours attendaient-ils sans jamais s'impatienter? Il lui sembla qu'ils n'avaient pas bougé depuis leur précédente rencontre qui datait de plusieurs mois.

Une fois à terre, Saïd remarqua de nombreuses traces de pneus. Il en déduisit qu'il n'était pas seul à visiter ces icônes des temps modernes.

Ils l'avaient certainement vu arriver de loin, mais aucun des hommes n'esquissa le moindre geste, n'émit le moindre mot pour signaler sa présence.

Longues salutations. Saïd fut invité à s'installer auprès d'eux. Il s'exécuta. Il était pressé mais savait qu'il devait se soumettre à la cérémonie du thé sous peine de grave incivilité. Le brasero était déjà allumé, ce qui confirmait qu'ils avaient de très loin décelé son approche.

Saïd leur apprit que les pétroliers allaient bientôt entamer un forage dans la région.

– C'est bon pour votre commerce.

Haussements d'épaules. Leur millénaire mode de vie leur avait conféré la sereine indifférence de ceux qui sont convaincus qu'aucun changement ne peut les affecter. Ils avaient l'habitude de glisser sur le sable, craignant d'y laisser l'empreinte de leurs pas, et comptaient sur leur don d'évanescence pour éviter les aspérités du présent. Saïd se demanda si leurs pérégrinations ne se fondaient pas sur une pulsion de fuite issue de quelque refus radical. Il songea que, quant à lui, il n'avait fait qu'adopter un camion diesel au lieu d'un chameau. Il n'était pas sûr d'avoir gagné au change.

– Trop de monde, finit par articuler l'un d'eux en réponse à la nouvelle de Saïd.

Un second ajouta :

– Les gens du Nord ne savent pas se tenir. Ils n'ont aucun sens de la discrétion ni du respect. Ils ont l'inconscience de croire que le monde est à eux parce qu'ils ont appris à faire sauter des montagnes et à creuser la roche. Ils agressent la nature et les hommes. Ils bouleversent tout sans vergogne. Ils s'excitent sans motif, crient sans raison, s'alarment sans cause. En vérité, ils manquent de sagesse.

Saïd était bien placé pour le savoir. Il avait vu toute une vaste région perturbée par la présence d'une vingtaine de personnes qui s'activaient autour d'une sonde. Mais il n'ignorait pas que les propos laconiques de ces solitaires n'étaient jamais gratuits. Il en déduisit que les prix de leurs produits avaient encore augmenté.

– Les passages deviennent de plus en plus

difficiles, poursuivit l'un d'eux. Avec les foreurs arrivent aussi les gendarmes, qui surveillent les frontières. Il nous faut souvent payer la dîme.

Prélude au marchandage. Saïd, qui connaissait leur redoutable sens des affaires, en conclut que le nombre de leurs clients s'était multiplié.

Deux hommes se levèrent enfin pour aller retirer les toiles qui recouvraient les bâts des deux chameaux. Saïd se perdit dans la contemplation des produits découverts et qui tous provenaient, par des voies insoupçonnées, des plus lointains pays. Il se décida pour un téléviseur portatif que lui avait commandé un ami d'Alger. Il hésita avant de saisir une bouteille de whisky qu'il se proposait d'offrir à Si Morice, qui en raffolait.

Le routier regagna à pas vifs son camion et démarra tandis que les singuliers commerçants reprenaient leur position de sphinx en attente d'adorateurs d'un nouveau genre.

Saïd freina à mort pour éviter d'écraser la gazelle qui venait de débouler de la dune. Mais le poids lourd ne put s'immobiliser à temps. Le conducteur découvrit l'animal affalé sous le moteur. Il était hors d'haleine et les battements de son cœur distendaient sa poitrine. En voyant l'homme ramper vers elle, la bête eut un ultime sursaut mais ne réussit qu'à se cogner la tête contre la tôle. Lorsqu'il la saisit dans ses bras, elle s'abandonna enfin, consentant à sa mort.

Saïd eut à peine le temps de se relever qu'il vit surgir un véhicule tout terrain au toit découvert. Debout à l'arrière, keffieh flottant, deux hommes, accrochés d'une main au cintre, tenaient de l'autre un fusil.

– Lâche cet animal, hurla l'un des chasseurs en pointant sur Saïd le canon de son arme.

– Il vous faudra nous abattre ensemble.

L'homme assis à côté du chauffeur de la jeep se dirigea vers Saïd en exhibant une carte. Le routier eut pitié de ce haut fonctionnaire réduit au rang de cornac d'émirs en mal de sensations fortes.

– Je croyais que la chasse à la gazelle était interdite, lui répondit-il.

Il leur tourna le dos et grimpa dans la cabine. Le grondement du moteur se fit menaçant. Saïd démarra en leur adressant un grand bras d'honneur.

Le camion se figea dans un furieux chuintement d'air comprimé qui souleva une gerbe de sable. Abaissant la vitre, Saïd sortit la tête.

– Alors, on fait du stop ? ricana-t-il.

Le promeneur se contenta d'éructer un vague son. Maigre, élancé, les joues salies par une barbe de plusieurs jours, le marcheur, immobile, se laissa examiner par le routier.

– Toi, tu ne doutes de rien. Tu t'imagines sur le bord d'une autoroute ?

Nouveau borborygme.
– Tu vas où?
– Le plus loin possible.
– Je vais là où commence la mer.
– Ça me convient.
– Grimpe donc.
Le passager s'installa confortablement, dos confié à la tendresse de la mousse synthétique et, tête penchée sur l'épaule, s'endormit aussitôt.
– Moi qui espérais un compagnon de route un peu loquace, j'en suis pour mes frais, grogna Saïd.
L'auto-stoppeur du désert ne se réveilla que quatre heures plus tard. Il bâilla, s'étira, fit pivoter sa tête afin de décrisper les muscles de son cou, puis déclara placidement :
– J'ai faim. Tu n'as rien à manger?
– Tu n'es pas le seul à crier famine dans la région. Tu arrives trop tard. Des pillards ont déjà vidé mon chargement. Mais j'ai recueilli une gazelle en cours de route. Il paraît que sa chair est savoureuse. Si on l'égorgeait?
Son compagnon n'apprécia pas la proposition. Saïd, qui venait de sauver l'animal, ne l'avait faite que par goût de la provocation.
– Puisque tu es prêt à jeûner, libérons-la. Quel est ton nom?
– Rabah.
– Je veux rouler jusqu'à la tombée de la nuit. Ensuite nous ferons une halte. Tu travailles dans une base pétrolière?

– Non.
– Touriste?
– J'en ai l'air?
– Tu as l'air de n'importe quoi, sauf d'un bavard.

Assis sur une couverture, les deux voyageurs laissaient leur corps jouir du bien-être de l'immobilité après les longues heures de vibrations et de cahots. Ils venaient de partager quelques dattes.

– Fais gaffe aux dards baladeurs des scorpions, prévint Saïd. C'est l'heure où ils sortent prendre l'air.

– Ce sont tous mes copains, lui répondit tranquillement Rabah.

– Tu as l'air de bien connaître la région.

– Tu es pire qu'un policier. Chacune de tes phrases est truffée d'arrière-pensées. Je sais bien que je t'intrigue. Eh bien, je t'apprends que je suis un déserteur. Es-tu satisfait?

– Je m'en doutais.

– Tu peux m'abandonner ici, si tu crains d'avoir des ennuis.

– Les ennuis, j'en fais collection, affirma Saïd qui sentait croître sa sympathie à l'égard du fuyard.

– Il y a même un officier de la police militaire lancé à ma poursuite. Il s'est juré de me ramener à la caserne pieds et poings liés. Je dois avouer que je lui en ai fait voir de toutes les couleurs.

Saïd se dit qu'il avait rencontré un plus révolté que lui.

– Durant ma période d'instruction, je n'ai pas cessé de faire le con, continua Rabah, enfin en veine de confidences. Je n'aime pas l'armée. Je séchais les cours, je ratais les exercices d'entraînement, je prolongeais mes permissions, je n'assurais pas mes tours de garde, je me montrais insolent envers les sous-officiers. Ni les corvées qui pleuvaient sur moi ni les peines de cellule dont j'écopais ne changèrent mon attitude. Évidemment, au terme de cette période, je me suis retrouvé affecté dans une caserne disciplinaire. Elle contenait un fabuleux concentré de dingues, de désaxés, de sadiques, de satyres, de satrapes au petit pied, l'encadrement le disputant aux troupiers. Un adjudant qui avait le museau et la carrure de ton camion s'est amouraché de mon frêle physique. Il s'est mis à me faire la cour dès mon arrivée, jusqu'au jour où la pointe de mon couteau titilla sa pomme d'Adam. Nullement effrayé, il me fit remarquer que j'avais dix-huit mois à passer sous ses ordres et qu'il veillerait à me réserver un sort spécial. Il ajouta que je finirais par le supplier à genoux de venir me prendre. Inutile de te détailler tout ce que j'ai subi. Une nuit d'irrépressible ras-le-bol, je suis sorti peinturlurer les murs de la caserne de slogans hérétiques et vengeurs avant de m'enfuir. L'officier de la police militaire, âme damnée du commandant, s'est fait fort de me ramener. Lui aussi adorait la chasse aux gazelles. Et je l'ai beaucoup promené parmi les dunes. Il est toujours à mes trousses.

Les deux hommes restèrent un long moment silencieux à contempler l'obscurité qui noyait lentement le paysage.

– Il va falloir reprendre la route, annonça Saïd.

– Le plus tôt sera le mieux.

– Je dois être demain à midi à l'aéroport d'Alger pour accueillir mon vieil ami Kader. Mais je suis crevé. Tu peux me remplacer au volant une heure ou deux?

– Je ne sais pas conduire.

– Que sais-tu faire dans la vie, hormis emmerder les militaires?

3

L'immense véhicule sema l'embarras devant le petit aéroport. Un policier, à coups de sifflet véhéments, intima l'ordre à Saïd d'évacuer les lieux. Mais le routier coupa le moteur et ouvrit la porte en disant à Rabah :

– Toi, tu restes ici. Ton apparition jetterait l'effroi parmi les minettes qui nous reviennent de Paris, l'esprit encore ébloui par la Ville lumière. Elles risqueraient de croire que des terroristes ont pris le contrôle de l'aérogare.

L'agent se précipita vers Saïd.

– Tu ne peux pas stationner ici.

– Je suis en service. J'ai des colis à charger. Tu n'as qu'à détourner les voitures sur la voie parallèle.

Offrant un dos impavide aux protestations du policier, Saïd pénétra dans le hall grouillant.

– Il pourra toujours essayer de me placer un sabot, s'il en trouve un de taille suffisante, ricana le camionneur.

Mains dans les poches, il se mit à flâner, dans

l'attente de l'atterrissage de l'avion. Il aimait observer la fébrilité des voyageurs sur le départ, toujours inquiets d'être en retard. Il enviait ceux qui avaient la chance de pouvoir partir.

Saïd avait toujours rêvé de s'installer dans quelque lointaine contrée, si possible de l'autre côté du monde, précisait-il, chez des gens aux cheveux verts et qui s'exprimeraient de préférence dans une langue incompréhensible.

Trois années auparavant, il avait découvert par hasard une publicité parue dans un journal français. Une association de musulmans australiens, qui cherchait à se fortifier, appelait des coreligionnaires à les rejoindre. L'annonce assurait les candidats à l'exil de formalités d'immigration simplifiées, d'un accueil chaleureux et d'une prise en charge pendant les trois premiers mois. C'était une aubaine pour Saïd, comme pour des milliers d'autres qui se précipitèrent vers l'ambassade d'Australie, la coupure de journal brandie à bout de bras, comme un droit d'entrée au nouvel Eldorado. Tous furent patiemment enregistrés. On leur promit qu'on allait bientôt leur écrire pour leur fournir l'autorisation nécessaire.

– Les habitants de ce pays, raconta-t-il plus tard à ses amis, vivent si isolés qu'ils ont fini par acquérir une mentalité d'insulaires. Ils s'imaginent, dans leur naïveté d'outre-monde, que partout règnent la liberté et la démocratie. Ils communiquèrent donc à notre gouvernement la liste des candidats pionniers. Notre police voyait sa tâche simplifiée. Elle n'eut qu'à confisquer les passeports de ceux qui projetaient d'aller mettre en valeur les territoires des kangourous.

Saïd avait pressenti la manœuvre. Il s'était donc envolé quelques semaines plus tôt en direction de Paris où il espérait obtenir plus aisément son visa. Mais l'opération avait été annulée devant les protestations des pays arabes.

– J'eus beau expliquer aux représentants français de cette association que je voulais émigrer à titre individuel, mes interlocuteurs se montrèrent fermes : ils ne voulaient pas d'un incident diplomatique.

Un de ses amis lui conseilla d'essayer le Canada. Saïd songea qu'il n'aurait plus à se battre contre les marsupiaux, plutôt à se protéger du froid. Mais l'ambassade lui répondit que son dossier ne pouvait être présenté que dans son pays d'origine. Comme il n'avait aucune envie de retourner à Alger, il traversa l'Atlantique avec un simple visa touristique, espérant se faire accepter une fois sur les lieux. Mais le Canada avait de fait cessé d'accueillir les immigrants, et se souciait encore moins de faire place à tous les damnés de la terre.

Il traîna de-ci, de-là, vivant d'expédients ou aux crochets des connaissances qu'il s'était faites. Mais cela devenait chaque jour plus difficile.

– Les citoyens de cet étrange pays sont d'un tel civisme qu'ils n'imaginent pas qu'on puisse être en situation illégale. Ils allaient en toute bonne conscience me dénoncer à la police dès qu'ils se rendaient compte que je n'étais pas en règle. C'est formidable, non? Imaginez ce que deviendrait notre patrie avec un peuple ayant un tel sens du devoir.

Saïd dut utiliser son billet retour.

Il avait débarqué à Alger avec le sourire blasé d'un nouveau Sindbad encore ébloui par le souvenir des aventures qu'il avait vécues. Il fixait ses amis avec un regard neuf, presque innocent. Il observait les lieux comme s'il les découvrait pour la première fois, ou comme s'il s'était attendu à ce que tout eût été bouleversé durant son absence. Il s'étonna même de la luminosité ambiante.

– Quel soleil!

– D'où viens-tu? lui avait demandé Kader.

– De l'aéroport.

– La qualité de ton humour ne s'est pas améliorée durant tes six mois d'absence.

– Ce n'était pas si long. La preuve, c'est que le tarif des taxis clandestins n'a pas augmenté. J'en ai pris un à l'aéroport. Si tu me confirmes que les patates sont toujours hors de prix, c'est que je n'ai rien raté. Une fois là-bas, j'ai craint que vous ne fassiez la révolution sans moi. Mais je constate que vous avez préféré m'attendre.

– Mais où étais-tu donc?

– Dans un pays de sylve et de froidure.

– On y apprend à parler par énigmes? avait demandé Kader sur un ton caustique.

– J'étais au Canada. Un vrai pays de cocagne.

Si lointain, si vaste, si peu peuplé. Une immensité insondable, une nature hostile. Tu as l'impression de te retrouver si loin de tout, de la vie et du monde, que t'étreint un terrible sentiment de solitude. On s'y découvre parfaitement étranger. C'est l'idéal pour moi.

Saïd n'avait pas perdu l'espoir d'y retourner. Chaque visite à l'aéroport ravivait les souvenirs de son escapade. En attendant, il cultivait sa révolte. Il était le cadet d'une famille de quatre enfants. Le père était mort depuis des siècles, affirmait Saïd. Un bus fou s'était engouffré dans le magasin où il officiait. Sa veuve attendait toujours le capital décès car l'assurance ne savait comment classer le dossier : accident du travail ou de la circulation?

– Quel con! grognait Saïd à ce propos. Il avait l'art de tout embrouiller. Sa sortie n'aura pas fait exception.

Les quatre fils avaient longtemps vécu à deux par chambre, mais ne se parlaient ni se regardaient. Chacun nourrissait envers les autres une formidable hargne que leur promiscuité forcée ne faisait qu'exacerber. Leurs rapports étaient à fleur de violence. La première remarque de l'un d'eux déclenchait une algarade qui dégénérait vite en bataille où chaque frère cognait sur le frère à sa portée. Ces ennemis évacuaient ainsi leur trop-plein de rage. L'aîné parlait d'aller se noyer dans la mer, un autre se proposait pour le déminage des frontières.

– Le meilleur boulot que je connaisse, affirmait-il. On peut s'éclater à tout moment, sans même s'en rendre compte.

Saïd avait révélé à Kader qu'une fois, en l'absence de sa mère, il avait ouvert de nuit le robinet du gaz.

– Pas pour les asphyxier : je sais que ces salauds sont capables d'avaler le plus foudroyant des poisons sans ressentir le moindre malaise. Mais l'aîné, qui se lève toujours avant l'aube, en appuyant sur le vieil interrupteur aurait transformé l'appartement en bombe. Ça n'a pas marché. J'avais oublié que la fenêtre ne fermait plus depuis longtemps.

Saïd avait fini par fuir le logis familial. Il habitait depuis dans une cave proche du port, en compagnie d'un docker et d'une prostituée.

Le seul être auquel tenait vraiment Saïd était son camion. Il l'entretenait comme une maîtresse exigeante et adulée, et le surveillait tel un amant soupçonneux. Lorsqu'il devait l'emmener à l'atelier pour une réparation, il restait à tourner autour des mécaniciens, les abreuvant de conseils et mises en garde.

– C'est que ces connards sont si négligents qu'ils omettent de replacer la moitié des boulons. Ils sont à l'origine de nombreuses catastrophes. On ne peut pas leur faire confiance. Je préfère vérifier.

En dépit des mises en demeure réitérées de son chef de service, il refusait de faire rentrer la nuit son véhicule au parc de l'entreprise pourtant situé à cinq cents mètres.

– Leurs faux gardiens risquent de me piquer des pièces pour les revendre au marché noir, lui répondait-il. Je les connais bien. Ils vivent au-dessus de leurs moyens.

Son inconscient désir était de mourir au volant. S'il avait survécu jusque-là, ce n'était pas faute d'imprudences. Avant chaque départ vers le Sud, il veillait à se soûler avec application. Il recherchait les bouges les plus infâmes, les plus dangereux, ceux où se retrouvaient les marginaux, les dingues, les révoltés, les suicidaires, tous venus exsuder leur trop-plein de furie et d'agressivité. Il se sentait heureux lorsque à son entrée il repérait un groupe de consommateurs déjà émoustillés dont le ton montait, promesse d'une rixe prochaine. Il s'installait près d'eux et suivait leurs reparties de poivrots avec un sourire béat. Il s'estimait comblé lorsqu'il distinguait dans la salle la chevelure brûlée par l'eau oxygénée de quelque brune et grossière pute convoitée par des faisceaux de regards concupiscents. Il espérait que sa présence exciterait les pochards et provoquerait la bagarre.

Après avoir avalé sa dose de bière, il prenait le volant et s'élançait sur la route rectiligne qui dissèque le désert. Il roulait à fond de train, méprisant les bandes de sable traîtresses.

– C'est super, cette saloperie d'engin, commentait-il. Sous la pédale de frein, il s'immobilise sans frémir, en dépit des tonnes qu'il trimbale. Il ne sait pas déraper, encore moins basculer. C'en est frustrant.

Voyant sortir Kader, Saïd adopta un air compassé et grave avant de s'avancer vers lui. Il savait quel avait été le but de son voyage.

Alors que les deux amis se dirigeaient vers la sortie, Kader s'immobilisa brusquement avant de dire au routier :

– Je te dispense de ta mine d'enterrement.

Soulagé, Saïd ébaucha un sourire de reconnaissance. Il ne savait pas comment se comporter face au malheur.

Apercevant le camion, Kader lui demanda :

– Tu es venu avec ça?

– Tu sais bien que nous sommes inséparables.

– Tu reviens d'où?

– Du fond du désert. J'ai encore fait une bêtise.

– Tu n'en loupes pas une.

– En revanche, je ramène avec moi un drôle de type. Il flânait parmi les dunes en se croyant sur les Champs-Élysées.

Saïd freina brusquement alors qu'il venait à peine de commencer à prendre de la vitesse.

– Qu'est-ce qui se passe?

– J'ai aperçu un joli minois sur le bord de la

route. Cela n'est guère courant sur les pistes du désert. Je ne peux rater l'aubaine.

Une frimousse espiègle apparut à la fenêtre. Apercevant les trois hommes, la jeune fille lança sur un ton suspicieux :

– Si je monte avec vous, vous promettez de ne pas me violer?

Saïd esquissa une mimique chargée de doute.

– Je reviens d'une longue équipée solitaire et me trouve dans l'état d'un marin qui débarque après plusieurs semaines d'abstinence.

– Je cours le risque. Mais au premier attouchement, je gueule. Je vous préviens que j'ai une voix aussi stridente que celle d'une cantatrice.

– Venez donc serrer votre cuisse contre la mienne, lui proposa Saïd.

Dès qu'il eut redémarré, le chauffeur lui demanda :

– Tu n'es pas d'ici?

– Comment l'as-tu deviné?

– Tu parles comme nos cousines d'outre-mer.

– Et ici, vous parlez comment?

– En général, nos jeunes filles évitent de ternir par un langage de charretier leur image d'êtres pudiques et innocents.

– Merde alors! Il faudrait adopter le style de Mme de Lafayette? Je croyais avoir voyagé dans l'espace, pas dans le temps.

Kader et Rabah se tenaient cois.

– Tu habites où?

Elle travaillait dans une librairie de Montpellier.

– Le boulot le plus ingrat que je connaisse : essayer de refiler du papier imprimé de fines lettres à des gens aux yeux esquintés par les brillances de l'écran de télé. Ils font le tour des rayons, admirent les couvertures, puis ressortent. Avec le temps, ils se persuadent d'avoir lu les livres dont ils se rappellent les titres.

Les affaires n'étaient guère florissantes et l'installation d'une Fnac dans la ville avait obligé le propriétaire à mettre la clé sous la porte. Nadia s'était retrouvée au chômage. Avant de se mettre à la recherche d'un nouvel emploi, elle avait décidé de s'octroyer deux mois de vacances pour visiter Oran, où avait grandi son père.

– On m'a chargée comme un chameau de cadeaux pour une vague parentèle. Le douanier algérien qui fouillait ma valise dut tourner le dos et s'éloigner pour ne plus avoir à entendre les obscénités que je proférais. J'ai trouvé Oran encore plus dégradée qu'on ne me l'avait dit. Toutes les librairies s'étaient reconverties en gargotes. Dans la rue, je n'ai rencontré que des barbus qui prenaient plaisir à me bousculer. Même les petits dragueurs avaient disparu. Aucun automobiliste ne s'arrêta pour me proposer une balade le long de la côte. Au bout de quinze jours, j'en ai eu ma claque de cette ville. Mais, avant de repartir, il me fallait remettre à une tante algéroise un tapis pure saloperie. C'est dingue, mais tous les produits merdiques de France aboutissent dans ce pays. Un cousin, qui fermait ses oreilles lorsque je parlais mais écarquillait les yeux sur mes fesses quand je m'asseyais, proposa de m'accompagner en voiture dans l'espoir de me trousser en chemin dans un bois. Ce très futé voulut me faire le coup de la panne. Trois grossièretés ont suffi à anéantir ses illusions. Il m'abandonna alors sans scrupule et j'ai dû continuer en train où trois voyous m'ont piqué mon sac. J'ai perdu mon fric et surtout mon passeport. Et la tante à qui était destiné le tapis est partie en vacances. Je viens de l'aéroport, où j'espérais amadouer un policier, quitte à faire avec lui une escale dans les toilettes. Ça n'a pas marché. Je constate que j'aurais mieux fait de céder à mon cochon de cousin.

La truculence de son vocabulaire amusait Saïd.

– Veux-tu qu'on prévienne tes parents?

– Lesquels? Ceux d'ici? Ils s'en fichent, du moment qu'ils ont reçu leurs cadeaux.

– En France?

– Je n'ai personne.

– Orpheline?

– Oh non! Mais je suis la victime d'un de ces mariages arrangés à la mode de chez vous : une pochette-surprise qu'on ouvre la nuit de noces. A mon pauvre soudeur de père, à la poitrine et aux yeux abîmés, qui retournait convoler dans sa ville natale, échut un lot somptueux. Il eut la mauvaise idée de demander à sa femme de le rejoindre à Montpellier. Trop jeune et trop belle pour rester fidèle à un souffreteux qui commençait à se voûter. Elle s'est montrée sensible à plusieurs bellâtres avant de disparaître en compagnie d'un petit truand. Mon père a cru pouvoir soigner ses déboires conjugaux au gros rouge. Atteint de delirium tremens, il vit désormais dans un asile.

A l'entrée de la ville, Saïd lui demanda :

– Où veux-tu que je te dépose?

– J'accepte l'hospitalité de celui d'entre vous qui ne cherchera pas à me baiser. Je lui offre en échange un superbe tapis en pur acrylique.

4

Kader détestait ouvrir les yeux et se retrouver au monde. Il ressentait chaque matin une sourde angoisse qui lui obstruait la gorge. Son corps alourdi restait lent à se mouvoir. Il lui fallait se soumettre à un long et méticuleux rituel pour parvenir à accepter la réalité. De la douche brûlante au café qu'il dégustait, ses gestes d'automate l'aidaient à dissiper les brumes de son cerveau et à se réconcilier avec le jour.

Seul le sourire de sa mère qui déposait sur la table son breuvage favori au moment précis où il entrait dans le salon parvenait à égayer son univers.

Mais, en ce vendredi, il n'eut ni café ni sourire. Il savait que chaque matin sa mère prenait son panier et s'en allait faire le tour des magasins dans l'espoir de trouver quelque produit devenu rare, huile, beurre, sucre, café ou concentré de tomate. Kader s'irritait à l'imaginer prise dans ces mêlées que provoquait inévitablement l'apparition sur les rayons d'une marchandise convoitée.

A plusieurs reprises, il avait essayé de la dissuader d'effectuer ces quêtes quotidiennes, lui faisant remarquer qu'il pouvait se contenter de pâtes ou de pommes de terre pour dîner. Elle hochait la tête mais repartait le lendemain pour revenir bien des heures plus tard, harassée, déçue, le panier vide. Kader acceptait mal de la voir ainsi réduite à ces tâches ménagères. Il avait de la peine à observer cette femme vieillie avant l'âge. Il voyait chaque jour ses épaules plus affaissées, son dos plus voûté. Elle ne cessait pas de rapetisser. Elle restait pourtant toujours belle aux yeux de son fils. La veille, il s'était senti un peu ridicule au moment de lui offrir le parfum de luxe ramené de Paris. Elle avait longuement soupesé le flacon en dodelinant de la tête comme pour souligner l'incongruité d'un tel cadeau. Mais cela lui permit sans doute d'évoquer son fantôme familier à qui elle dédia un sourire attendri.

La mère de Kader n'avait fait que végéter depuis le jour où un émissaire compassé était venu lui annoncer la mort de son époux. Ils s'étaient connus à l'université d'Alger. Le fils d'aristocrate avait hérité de ses aïeux l'habitude de se comporter partout comme en terrain conquis. Il aborda la jeune fille sans prendre la peine d'invoquer le moindre prétexte et se mit aussitôt à lui faire part de ses préoccupations comme s'il la connaissait de longue date et ne doutait pas de l'intérêt qu'elle y accorderait. Deux heures plus tard, elle lui donnait la main.

Elle ne la retira plus jamais. Sa mémoire gardait précieusement les plus infimes détails de cette miraculeuse rencontre. C'était une délicieuse journée d'octobre. Une légère brise jouait avec les feuilles mortes des platanes sans parvenir à assombrir le ciel. L'été qui annonçait ses adieux imprégnait l'atmosphère de nostalgie. Elle portait une fine robe à fleurs bleues, un peu courte. Ses cheveux en queue de cheval soulignaient son allure de fillette trop vite grandie. Il était midi et quart. Elle se dirigeait, avec deux amies, vers le restaurant universitaire lorsqu'il vint leur barrer le passage. Il ne se donna pas la peine de saluer les compagnes à qui il venait l'enlever.

Il l'avait entraînée aussitôt dans une autre direction. Elle l'avait suivi sans protester, en dépit de son ventre qui criait famine et des sautes de vent qui la faisaient frissonner. Il lui avait affirmé d'un ton péremptoire que le devoir exigeait parfois quelques sacrifices. Elle comprit qu'il avait aussi faim qu'elle. Elle se laissa subjuguer par la fougue nationaliste de l'étudiant en sciences politiques, elle qui ne s'était jamais préoccupée de ces questions. Après avoir accepté quelques compliments émis sur un ton dont la désinvolture lui évita de rougir, elle se retrouva dans une réunion clandestine de militants au cours de laquelle le prosélyte prononça une harangue aussi véhémente que oiseuse. Avait-il cherché à l'impressionner? Toujours est-il que, le soir même, elle lui ouvrait la porte de sa chambre.

Il lui assena un long discours avant de l'entraîner vers le lit.

Mais l'étudiant ne tarda pas à abandonner ses cours et sa maîtresse. Il rejoignit Le Caire où le FLN le chargeait de sensibiliser à la cause nationale les figures de proue du panarabisme qui avaient afflué dans la capitale égyptienne dès l'arrivée au pouvoir de Nasser, reconnaissant leur messie dans le chef des Officiers libres. L'apprenti diplomate fut surpris par le peu d'intérêt que les Moyen-Orientaux accordaient à la question algérienne. Ils ignoraient presque tout du pays et la plupart restaient réticents à le considérer comme partie du monde arabe, le tenant plutôt pour une vague province française. Le politicien novice croyait leur apporter sur un plateau la seule cause digne de leur folle ambition de démiurges. Il s'acharna à faire le siège de tous ceux qu'on lui avait désignés comme hommes d'influence. Les sourires sceptiques qui distendaient les lèvres de ses interlocuteurs ne parvenaient qu'à accroître sa rage de les convaincre.

La représentation du FLN au Caire disposait de plus d'enthousiasme que de fonds. Le jeune homme vécut dans le dénuement, logeant dans une sordide chambre que lui louait un marchand des quatre-saisons doté d'une nombreuse et turbulente progéniture. Il dut recourir aux vertus du souvenir pour résister aux avances et charmes de la fille aînée et aux arguments du marchand qui lui faisait valoir qu'il pouvait économiser le montant du loyer en devenant son gendre. Afin de barrer la voie à la tentation, il profita d'un bref séjour à Alger pour épouser celle à qui il adressait de longues lettres où il détaillait plus ses fastidieuses démarches et leurs maigres résultats que les sentiments qu'il lui vouait. Il estimait sans doute que sa correspondante les tenait pour acquis et que cela le dispensait de les réaffirmer.

Un jour, il eut la chance, au cours d'une réception, de pouvoir approcher Nasser et de lui glisser quelques mots. Les yeux du Raïs émirent une brève lueur. Ce fut tout. Mais, à compter de cette date, sa situation commença à s'améliorer. Une semaine plus tard, il fut reçu par un fonctionnaire moyen qui lui attribua une accréditation, un petit bureau et une modeste allocation.

Quelque temps après, il fit une précieuse rencontre. Juif, communiste, Égyptien, H. C. était un singulier personnage. Il avait le regard illuminé d'un mystique, le buste osseux et décharné d'un tuberculeux, l'allure dégingandée d'un échalas, la froide logique d'un comptable et l'enthousiasme d'un saltimbanque. Il militait pour l'avènement d'un régime prolétarien et vibrait aux luttes anticoloniales. À ses yeux, l'Algérie devait être le flambeau de l'Afrique en voie de libération. Le représentant du FLN ne pouvait espérer entendre plus doux propos. H. C. lui offrit l'hospitalité dans le superbe palais hérité d'un père enrichi dans le négoce des étoffes, l'usage gracieux de son imprimerie clandestine et l'accès à son inestimable réseau de relations et d'amitiés. Le patriote en profita pour demander à sa femme de venir le rejoindre. H. C. n'ignorait rien des exigences logistiques du combat révolutionnaire et organisa pour son hôte une tournée dans les pays socialistes qui lui permit de récolter quelques sous et de vieux mousquetons. Acheminés via la frontière marocaine, les fusils datant de la Première Guerre mondiale furent accueillis avec bonheur par les maquisards. La direction du FLN le pria d'entreprendre une nouvelle quête. Mais, lors de son deuxième voyage, il comprit que la sympathie des épigones de Lénine à l'égard du FLN ne devait pas être confondue avec la philanthropie, et qu'en matière d'armes, les contrats se payaient rubis sur l'ongle. H. C. l'initia aux pratiques de la contrebande de matériel militaire. Ses succès lui valurent une mutation à Tanger, d'où il fut chargé de superviser tous les approvisionnements en armes. Ils furent deux à gravir la passerelle et trois à débarquer, sa femme l'ayant doté d'un poupon au beau milieu de la Méditerranée. Pourchassé par les services secrets français, il vécut dans la clandestinité, loin de sa femme qu'il ne voyait que de temps à autre. Kader, leur deuxième enfant, naquit quelques jours avant l'arrivée de l'émissaire porteur de la macabre nouvelle.

La veuve ne crut pas un mot de la version présentée.

Revenue au pays après l'indépendance, elle ne cessa de harceler de lettres et de demandes d'audience les principaux dirigeants, réclamant la vérité sur la disparition de son époux qu'on disait assassiné par ses propres compagnons. Elle n'eut jamais aucune réponse.

Et voici qu'elle avait dû subir l'annonce de la mort de son fils aîné. Avant même de se laisser embrasser par Kader à son retour de Paris, sa question fusa :

– Alors?

Sa valise en main, Kader lui fit part de ses doutes.

– Il serait encore vivant?

– Il faut attendre les conclusions de l'enquête d'identité. Mais je ne crois pas que le cadavre que j'ai vu soit le sien.

– Que Dieu t'entende, mon fils.

Les grincements du lit métallique réveillèrent Saïd. Les yeux encore fermés, il envoya sa main à la recherche de sa vieille casquette de marin qu'il troquait contre le turban saharien dès son arrivée à Alger. Mais sa paume buta sur un sein ferme et doux. Il releva les paupières, puis se souleva sur un coude. Nadia dormait près de lui.

Il tourna la tête pour observer Salima qui, un peu plus loin, jambes écartées, laissait ahaner sur elle un énorme moustachu qui peinait comme un forçat sans parvenir à se soulager.

– Tu commences tôt le travail, aujourd'hui, lui fit remarquer Saïd en posant les pieds sur le sol.

– Faut pas faire attendre les clients. Il y en a qui ont le rut auroral.

Un râle de supplicié annonça l'assouvissement du désir du géant. Le soudain relâchement de ses muscles fit dangereusement pencher son buste vers la poitrine de sa partenaire. Salima s'extirpa habilement de l'étreinte, échappant de justesse à la chute du menhir.

– Il y a du café? demanda Saïd.

– Non, plus un seul gramme.

– Djelloul n'est pas rentré de la nuit?

– Si, mais tu ronflais déjà. La coquine t'avait épuisé. Tu as dû perdre l'habitude de ces joutes intimes.

– Il est reparti?

– Il joue au bon père de famille depuis qu'il sait que je lui prépare un gosse.

– Dans ton état, tu devrais songer à choisir des clients moins bien pourvus par la nature. Il faut éviter de malmener ton pauvre fœtus par ces terribles coups de boutoir. Quelle heure peut-il être? Il fait toujours nuit dans cette cave.

– Si tu vois Djelloul, demande-lui de ne pas oublier que sa compagne, qui a besoin de calories pour deux, n'a rien à se mettre sous la dent.

Après avoir récupéré sa casquette et s'en être orné la tête, Saïd eut quelques instants d'indécision. Il hésitait à réveiller Nadia. La désignant du menton, il lança à Salima :

– Tu lui diras que je m'occupe de régler son affaire. Je reviendrai dès que possible.

Saïd bouscula d'un coup d'épaule la porte métallique et sortit. Il reçut en pleine figure le soleil levant. Parvenu devant la grille de l'entrée du port, il devina aussitôt qu'il y régnait une ambiance inaccoutumée. Les navires, ventre ouvert, attendaient qu'on vînt les décharger. Les camions patientaient le long des quais. Les grues étaient paralysées. Plusieurs groupes de dockers discutaient en sourdine. Saïd se mit à la recherche de Djelloul mais ne le trouva pas.

Il s'adossa à un mur, face au soleil. Après un moment, il s'affaissa lentement, laissant le grossier crépi de ciment lui gratter le dos. Il s'assit et ramena sur son nez la visière de sa casquette, décidé à poursuivre son sommeil interrompu par l'activité matinale de Salima. Alors qu'il sentait la chaleur l'imprégner d'un doux bien-être et que son esprit se mettait à vagabonder, une brutale apostrophe le fit sursauter.

– Hé! l'ami, t'as pas une chique?

Saïd secoua la tête sans se donner la peine d'entrouvrir les yeux.

– Je chique pas.

Une odeur de friture de sardines vint chatouiller les narines du routier et raviver sa faim. Allait-il s'offrir un plat de poisson? Il se souvint que son salaire était suspendu.

– T'as pas une cigarette?

Nouvelle dénégation.

– Je fume pas.

La chaleur avait détendu le corps de Saïd qui se mit à ronronner comme un chat.

– T'as pas l'heure?

– J'ai pas de montre.

– T'as pas de boulot, toi non plus?

Saïd, excédé, releva la visière de sa casquette. Il tourna la tête vers le jeune homme au visage famélique assis à sa droite.

– T'as pas deviné à ma tête que j'étais un rentier dont la fortune fructifiait sagement en bons du Trésor? Tu m'as pas vu arriver dans mon carrosse aux armoiries rouge et or? T'as pas compris que je venais dans les bas quartiers de la ville à seule fin de m'encanailler durant quelques heures au contact des truands et m'édifier le moral au spectacle de la peine des gens du peuple? Dis-moi, tu cherches la bagarre? Allez, tire-toi avant que je ne sorte les mains des poches.

L'importun s'éclipsa aussitôt.

L'ardeur croissante du soleil fit rougir le visage de Saïd qui rampa d'un mètre pour se réfugier sous un figuier malingre à l'ombre parcimonieuse. Il essaya de retrouver le sommeil.

L'apercevant de loin, Djelloul se dirigea vers lui. Il s'appuya à une branche.

– Ouvre les yeux, heureux lézard, et tu verras grossir les figues qui pendent à ce rameau. Si tu consens à déplacer un peu la tête, elles chuteront toutes blettes dans ta bouche. En les mastiquant, tu retrouveras le goût des baisers de la femme de tes rêves. Elle dort encore dans ton palais, l'obscurité aidant, et tu la retrouveras aimante et lascive à la nuit tombée. Sa peau diaphane craint la lumière. Elle s'éveille au crépuscule comme une fleur s'ouvre au soleil. Elle n'a pas de mémoire et chaque jour est pour elle un commencement. Tu auras à la séduire à chacune de vos retrouvailles. Comme nulle autre, elle sait prodiguer les caresses dont la volupté hérisse la peau. Ses gestes experts t'ouvriront des voies insoupçonnées. Tu découvriras les îles du paradis et leurs vergers luxuriants. Elle n'a appris ni à manger ni à boire, mais seulement à aimer. Heureux homme!

Sans bouger, Saïd marmonna :

– Salima te demande de ne pas rentrer sans provisions si tu ne veux pas voir ton môme mourir d'inanition avant sa naissance.

Saïd consentit enfin à se relever.

– Qu'est-ce qui se passe ici? Le port semble en état de léthargie. Je sais bien que nous sommes vendredi, mais je croyais que le grand mufti vous avait délivré une fetwa pour vous autoriser à travailler le jour saint, étant donné le tarif faramineux des surestaries que facturent les propriétaires de navires.

– Il n'y a rien de clair. Depuis quelques jours, on complote à tire-larigot. Parti, syndicat, intégristes, police, chacun y va de ses conciliabules.

Tout le monde parle d'un mystérieux barbu qui roule en Honda verte. Ça explose là où il passe.

– D'où vient cet homme?

– On l'a d'abord pris pour un nervi islamiste, à cause de sa barbe. Mais l'étrange liberté de manœuvre de ce boutefeu me laisse penser qu'il appartient à l'omnipotente Sécurité militaire. Je sens qu'il va y avoir du grabuge.

– Dans ce cas, je te laisse jouir du spectacle. Je vais aller avaler un café chez mon ami Kader. Auparavant, j'aimerais te demander un service.

– Oui?

– La fille que j'ai ramenée chez nous s'est fait voler son passeport. Elle ne peut plus repartir en France. Tu ne pourrais pas l'aider à embarquer sur un navire?

– Je l'ai aperçue hier. Jolie gueule. Elle a un beau cul?

– Indéniable.

– Ça ne pose aucun problème, si elle accepte de s'en servir.

– Je crois qu'elle n'est pas du genre farouche.

Kader se rendit en grommelant à la cuisine et entreprit de se préparer du café. L'impérieuse sonnerie l'empêcha de déguster la première gorgée de son breuvage favori. La porte, en s'ouvrant, lui découvrit le large sourire de Saïd.

– Tout le monde t'attend en bas, lui apprit son visiteur.

– Pourquoi?

– Tu n’as pas vu la note placardée à l’entrée de l’immeuble?

– Non. De quoi s’agit-il?

– Ce vendredi est journée de volontariat. Ainsi en a décidé l’ineffable Bada.

– Il se remet à sévir, celui-là? La belle époque du parti unique est pourtant révolue.

– Au contraire, il redouble d’ardeur. Il sent le vent tourner en faveur des islamistes et tente de se rallier leurs faveurs. Sa circulaire a pour seul en-tête : Au nom de Dieu, le Clément, le Miséricordieux.

– Comme apostat, il est difficile de trouver mieux. Et que nous propose-t-il?

– Une campagne d’assainissement. Si les buts ont changé, la phraséologie est restée identique. Il s’agit de faire le travail des services de voirie : ramasser les ordures, déboucher les égouts, repeindre les trottoirs.

Saïd leva les bras au ciel, comme pour une instante prière.

– Ô l’imposture du langage! Aujourd’hui tout est affaire de vocabulaire. Pour nous faire admettre des pratiques intolérables, il suffit de les affubler d’autres vocables. Les corvées que connaissaient nos pères sous le régime colonial sont devenues des journées de volontariat destinées à nous assurer, sous le règne du Parti, des lendemains qui chantent, et, désormais, le paradis où nous attendent des vierges assises au bord de fleuves de miel.

– Viens donc prendre un café, lui proposa Kader.

Un moment plus tard, Kader rejoignit ceux qui s'activaient au bas de la rue, armés d'un balai ou d'une pelle. Bada dirigeait les opérations. Il salua d'un hochement de tête approbateur l'arrivée du médecin. Les volontaires faisaient mine de prendre à cœur leur tâche, mais le travail n'avançait guère. Saïd, qui ne se sentait pas concerné, vint, cigarette au bec, soutenir l'ardeur des néophytes. Il observa longuement Nacer, qui tentait de déboucher un égout, avant de lui lancer :

– Voilà ce que c'est que d'habiter un quartier chic. Cela comporte des obligations.

Nacer leva vers lui un regard peu amène.

– Ne t'énerve pas, lui dit Saïd, je suis là pour vous donner un coup de main. Prête-moi ton noble outil.

Vers onze heures, un journaliste guilleret, moustaches en crocs, vint nourrir son magnétophone de propos édifiants.

– S'il me tend son micro, je le lui fais avaler, grogna Nacer, toujours occupé à ôter les feuilles mortes du regard obstrué qui à chaque averse refusait l'eau de pluie et la laissait inonder le bidonville voisin.

Mais l'échotier fut abondamment servi par

Bada qui n'entendait pas se laisser ravir la vedette. Il parla beaucoup de militantisme et de Dieu, et finit par qualifier les éboueurs du vendredi de soldats de l'hygiène publique. L'expression plut à l'envoyé. Aussitôt, Saïd plaça sa pelle sur l'épaule et se mit à défiler au pas cadencé.

– Dommage qu'il n'y ait pas la télé, fit remarquer Nacer qui n'avait pu résister au plaisir d'imiter son ami.

– Toi, lui dit Saïd, je t'interdis de me singer. N'oublie pas que Bada te surveille.

Vers midi, Si Morice sortit promener sa barbe de patriarche biblique. Il sourit de contentement à la caresse de la brise. Observant les trottoirs luisants, il opina de la tête.

La fontaine romaine et Si Morice constituaient les deux grandes curiosités du quartier. L'excentrique vieillard vivait en bourdon solitaire au dernier étage d'un immeuble du quartier et semblait cultiver l'art de provoquer ses voisins. Il aimait se diriger vers le bistrot lorsque ses congénères prenaient le chemin de la mosquée. Il ne manquait jamais d'assaillir de propos hérétiques les bigots qu'il croisait.

– Je vous signale qu'étant donné que toutes les mosquées sont bondées, Dieu a préféré se réfugier dans mon appartement. Il est agoraphobe et aime le calme. Comme il a des oreilles sensibles, il ne supporte pas vos infernales sonos qui appellent à la prière. Nous nous entendons fort bien, lui et moi, et nous partageons le vin et le pain. C'est donc dans mon logis que vous devriez venir faire vos dévotions.

En pleine guerre de libération, alors qu'il crapahutait dans le maquis, Si Morice s'était retrouvé hériter de tous les biens paternels. A l'indépendance, dans un grand geste de cabotin, il avait fait don à l'Etat de toutes ses terres et immeubles, à l'exception du modeste appartement qu'il occupait. La presse avait glorifié cet acte généreux. La grandiloquence du discours qu'il servit aux journalistes fit frémir les micros tendus vers la barbe du bienfaiteur. Mais à ses voisins qui le félicitaient, le héros du jour tint un tout autre langage :

– Au vrai, je me voyais mal retourner patauger dans la glèbe de mon domaine natal, d'autant que les métayers de mon père me tenaient pour mort. Ils considéraient donc comme leur le domaine qu'ils exploitaient et m'auraient accueilli à coups de fusil. Sans compter qu'ils n'auraient jamais pu me reconnaître, à moins de raser ma barbe. Et je ne pouvais m'y résoudre. Quant aux immeubles qui me sont échus, ils n'ont constitué qu'une charge. Puisque vous en faites partie, vous êtes bien placés pour savoir que mes cochons de locataires ne m'ont jamais payé un sou. Ils prétendent que les logements appartiennent au Calabrais commis par mon père à la perception des loyers. Comme j'étais au maquis occupé à cisailler des barbelés, l'encaisseur avait beau jeu de dire qu'il ne pouvait me reverser l'argent. Il le garda donc pour lui, certain que le fellagha ne descendrait pas en ville réclamer son dû. A l'annonce du cessez-le-feu, il s'empressa d'aller abriter son magot de l'autre côté de la Méditerranée. Le compatriote que j'ai désigné pour prendre sa succession avait une âme de pain blanc. Il compatissait à en pleurer au récit des malheurs et difficultés des ménagères qui le recevaient, et repartait les mains vides. Mais, au moment où il refermait la porte, ces hypocrites n'oubliaient pas de lui demander d'effectuer les réparations. Par conséquent, ce don a été pour moi une opération rentable.

L'État, devenu propriétaire des lieux, n'entendait pas faire preuve de la même indulgence. Les quittances de loyer ne tardèrent pas à glisser sous les portes. Avec prise en compte, en parfaite illégalité, de tout l'arriéré dû avant la donation. Les habitants s'en allèrent spontanément protester auprès de Si Morice, exigeant de lui qu'il récupérât ses biens. Ce dernier, pour toute réponse, leur exhiba le relevé qu'il venait lui-même de recevoir et qu'il déchira sous leurs yeux, les incitant par l'exemple à l'imiter. Cela lui fournit le prétexte d'ironiser savamment sur l'inconséquence bureaucratique.

Les successifs rappels qui lui parvinrent volèrent aussi vers la poubelle. Jusqu'au jour où il reçut la visite d'un jeune fonctionnaire des

Domaines qui lui intima l'ordre de s'acquitter de ses impayés sous peine d'expulsion.

Si Morice l'écouta avec un masque béat avant de lui proposer un café. Interloqué, le percepteur hésita avant d'accepter, surpris et heureux de voir qu'il allait échapper aux traditionnelles jérémiades. Si Morice lui donna le temps de vider sa tasse puis s'en fut ressortir d'une malle sa vieille mitraillette des temps héroïques. Il pointa le canon de l'arme dans les reins de l'émissaire et lui dit :

– Mon jeune ami, je te raccompagne. Si tu remets les pieds chez moi, c'est elle qui parlera à ma place.

Observant les travaux de nettoyage, Si Morice hocha de nouveau la tête.

– Je suis bien content, lança-t-il à la cantonade, de constater qu'on prend soin de mes ex-immeubles.

Si Morice s'obstinait à se comporter en tuteur de Kader en dépit des remarques ironiques des voisins qui estimaient que les rôles auraient dû être inversés. Aux premiers mois de l'indépendance, il avait écumé tout le pays afin de retrouver la mère et ses deux enfants. La famille venait de rentrer du Maroc et ne savait quel allait être son sort. Si Morice tint à les loger dans un de ses immeubles et se chargea durant plusieurs années d'assurer leur quotidien, car la mère de Kader se préoccupait plus de découvrir l'assassin de son mari que d'effectuer les démarches nécessaires à l'obtention d'une pension.

Si Morice prit l'habitude de leur rendre visite. Il s'installait confortablement, faisait mine d'hésiter lorsque la mère lui proposait un café, finissait par accepter avec un air de regret, puis, après avoir assené à ses auditeurs quelques considérations singulières, se levait et rentrait chez lui avec la satisfaction du devoir accompli. Il ne manquait jamais de s'enquérir de l'avancement des études de Kader qui ne comprenait pas les motifs de cette sollicitude. Il avait fini par prendre l'attitude du vieillard pour une manie.

A la fin du travail, Bada invita les volontaires à se rendre à la mosquée pour la grande prière du vendredi. Nacer insista pour emmener Kader, qui se défila, mais refusa la compagnie de Saïd qui offrait de le remplacer, car il connaissait son goût de la provocation.

– As-tu enfin compris la stratégie de retournement de notre cher Bada? lança Saïd au médecin.

L'imam n'était pas en verve. Son prêche fut long à atteindre son ton de croisière, alors qu'il s'était rendu célèbre par son art de terroriser les croyants en leur promettant les foudres du ciel pour la moindre incartade. Ce jour-là, son discours se transforma en leçon de biologie où les diables malfaisants se trouvaient mués en microbes sournois et ravageurs, agents de maladies capables de malmener le corps et l'esprit. Le prédicateur était bien sûr partisan d'une prophylaxie.

– Mes frères, seules la foi et l'hygiène vous préserveront de ces êtres maléfiques et sournois!

Kader et Saïd, assis sur un banc à une centaine de mètres de la mosquée, ne perdaient aucun mot du prône.

– Je te disais que Parti et Mosquée sont de mèche.

A la fin de la prière, Nacer vint les rejoindre.

– Tu as eu tort de ne pas venir, affirma-t-il à Kader. C'était une très belle harangue.

– On entend très bien d'ici.

Nacer s'installa auprès d'eux. Fixant le routier, il lui demanda soudain :

– Pour toi, Dieu, qu'est-ce que c'est?

Les lèvres de Saïd dessinèrent une moue où l'on sentait affleurer une grossièreté. Mais il se retint et ébaucha un mouvement d'épaules.

Après un long silence, il finit par éructer sa grogne :

– Dieu n'a plus aucune importance. Il est devenu l'otage conjoint du Parti et des Islamistes. Lorsqu'il s'agit de nous berner, ils s'entendent comme larrons en foire. L'un nous promet, par la vertu du socialisme, le paradis sur terre, mais nous engage à cultiver notre foi afin de nous assurer celui de l'au-delà. Les autres nous affirment que le vrai socialisme ouvre la voie à l'application de la loi divine. Mais, en dépit de leur hypocrite alliance, ils se savent mortels ennemis. Ils se donnent des gages mais restent prêts à se prendre à la gorge. Dieu n'intéresse aucune de ces factions. Ils l'ont réduit à un rôle de commis. A mon sens, il est temps pour lui de se manifester et de leur dire ce qu'Il pense d'eux, le plus crûment possible. Le mieux serait de l'inviter à un grand débat télévisé.

La nuit tombait. Saïd se tenait sur le quai près de Nadia, attendant le retour de Djelloul. Il voulait se montrer serein. Sa compagne le surveillait du coin de l'œil, l'air goguenard.

– Je te préviens, lui annonça-t-elle, si tu laisses tomber une seule larme, je reste. Mais je me demande ce que tu ferais de moi. Tu serais bien emmerdé. Alors retiens-toi. Si un jour il te prenait l'envie de visiter Montpellier, je te servirais de guide. En attendant, réfrène ta folle envie d'inspirer l'air marin. Tu deviens gorille lorsque tu gonfles la poitrine.

Saïd, qui ne savait quoi dire, se contenta de hausser les épaules.

– Avoue, ajouta-t-elle, que tu es bien content de te débarrasser de moi.

Il se prit à rêver. Que pouvait-il lui répondre ?

– Qu'est-ce que ce monde est mal foutu !

Djelloul revint.

– Ça marche. Mais il faut se dépêcher.

Saïd esquissa un petit geste d'adieu vers celle dont on venait de saisir le bras.

– Adieu, petit con, lui lança-t-elle en s'éloignant.

Saïd préféra lui tourner le dos. Comme il n'avait guère envie de retourner s'enterrer dans sa cave, il se proposa d'aller rendre visite à Si Morice. Parvenu sur la place, il constata la présence de plusieurs groupes d'hommes qui discutaient à voix basse. Il s'en étonna, car Alger n'était pas célèbre pour sa vie nocturne. D'autres gens ne cessaient d'affluer. La plupart sortaient directement des mosquées. Ils obéissaient sans doute à un mot d'ordre.

Si Morice dormait. La bouteille de whisky offerte par le routier, largement entamée, reposait à son chevet. Si Morice ne fermait jamais sa porte, sous prétexte qu'il ne retrouvait jamais ses clés. Il était certain que les cambrioleurs le respectaient trop pour oser le dévaliser. Et puis il savait que tout voleur en serait pour ses frais. L'appartement se trouvait dans un état de délabrement avancé. Murs décrépis, carreaux descellés, portes brinquebalantes, robinets coincés, tuyauterie percée, tout était à l'avenant. Son occupant ne songeait même pas à remplacer les ampoules grillées. Il se contentait d'une minuscule cuisinière et d'un frigo d'une fidélité imprévue. Il disposait d'un stock d'assiettes dépareillées parce qu'il n'avait jamais songé à rendre les plats des mets que lui offraient ses voisins les jours de fête.

– Réveille-toi, vieillard. Tu dors, alors qu'une nouvelle révolution se déroule à tes pieds. Tu n'aurais jamais admis cela, autrefois.

Sans se donner la peine d'ouvrir les yeux, Si Morice tendit la main vers la bouteille.

5

Sagement assise, Louisa dédiait à Kader un regard espiègle.

Elle était apprêtée comme pour une soirée de gala. Le trait d'un épais crayon avait agrandi ses immenses yeux de biche dont les paupières battaient avec un art consommé. Un excès de poudre occultait la couleur de ses pommettes. Le méticuleux tracé du carmin rehaussait l'attrait de lèvres qu'on imaginait fondant sous les baisers. Le tailleur avait dû lui coûter une fortune.

Kader se demandait ce qu'il allait bien pouvoir faire de cette infirmière de luxe qu'on venait de lui affecter. Son chef de service avait tenu à interrompre son jour de repos afin de rejoindre l'hôpital et lui présenter cet ara somptueux. La lueur de malice qui faisait pétiller les yeux du professeur acheva d'intriguer Kader. Qui pouvait-elle être pour bénéficier de la sollicitude du patron d'obstétrique le plus célèbre d'Algérie ? Le docteur Meziane, à l'automne de sa vie, se serait-il laissé tenter par le démon du stupre? Etait-elle la maîtresse d'un puissant personnage?

– Quelle coïncidence, ironisa Kader, lorsque à Paris vous m'avez dit « A bientôt », j'ai cru qu'il s'agissait d'une simple formule de politesse.

Il ne sut comment interpréter le jet de fumée qui lui irrita les narines.

Kader était certain qu'elle ne passerait pas inaperçue dans le service. Les infirmières qu'il côtoyait d'habitude semblaient rivaliser de négligence dans leur tenue et le médecin se désolait souvent au spectacle de ce laisser-aller. Il était convaincu que leur débraillé vestimentaire traduisait un mal plus profond. Elles étaient aussi peu soigneuses dans la pratique de leur métier. Elles plantaient de travers l'aiguille de perfusion dans la veine du malade, comme était approximatif le tracé de leur rouge à lèvres. Elles oubliaient de nettoyer les instruments médicaux et les taches de leurs robes. Les remontrances professionnelles de Kader offusquaient ces jeunes filles qui trouvaient naturel ce manque d'attention envers elles-mêmes et les autres. Il arrivait de plus en plus souvent à Kader, devant une faute manifeste, de tourner le dos et de s'éloigner tête basse. Avec le temps, il sentait s'éroder sa détermination à lutter pour contenir la déréliction de son univers. Il se découvrait chaque matin plus amer, plus résigné, plus fataliste.

Il continuait à observer sa nouvelle assistante et se demandait ce qui avait bien pu pousser cette sylphide à venir s'ébattre dans la fange hospitalière. Elle ignorait sans doute qu'elle allait vivre dans le sordide. Elle ne pouvait imaginer qu'en dépit de son joli nom, le liquide amniotique était répugnant et qu'elle aurait bientôt à y plonger ses blanches et fines mains. Comment réagirait-elle le jour où il lui ordonnerait de couper ses ongles afin d'éviter de blesser le sexe des parturientes?

Consciente de l'effet de son charme, la jeune fille restait silencieuse, se contentant de braquer sur le médecin un regard plus vaste que l'Océan. Combien d'hommes s'y étaient noyés? Une timidité affectée cachait mal son assurance. Elle ne doutait pas d'être adoptée, puisque le professeur en avait décidé ainsi. Il avait même ajouté sur un ton coquin à son assistant :

– Sa compagnie n'est pas déplaisante, tu verras.

Son attitude faussement soumise agaçait Kader. Il lui adressa un sourire non dépourvu de cruauté avant de lui dire :

– Je dois aller m'enquérir de l'état d'un petit être venu trop tôt au monde. Voulez-vous m'accompagner?

Toujours muette, la jeune fille se leva. Il lui tendit une blouse.

Il était dix-huit heures. Les infirmières avaient déserté la salle commune pour aller se restaurer.

Quoique minuscule, le bébé se portait bien. Kader le prit dans ses bras pour l'examiner. Puis il le tendit à sa compagne qui n'ouvrit ses bras qu'avec une réticence manifeste. Il l'en soulagea au bout d'une minute, craignant qu'elle ne le laissât tomber.

– Voici sa mère.

Un second berceau métallique accueillait un petit bout de femme qui souriait de toutes ses dents. Ses mollets soudés aux cuisses et ses moignons de bras lui donnaient l'allure d'un pingouin et son hilarité ne faisait que souligner son grotesque physique de monstre de foire.

– Êtes-vous mariée? lui demanda Kader qui connaissait très bien son histoire.

L'infirme n'eut aucune hésitation à recommencer son récit. Elle vivait reléguée dans un placard de la maison familiale, oubliée de tous. On cachait cet objet de honte. On lui donnait à manger comme on le fait pour un chien. Le fiancé de la sœur aînée n'avait découvert son existence qu'au début de la nuit de noces, alors qu'il attendait de pénétrer dans la chambre de la promise. Il s'était exercé sur elle avant de rejoindre celle qui portait la robe blanche.

– Et tu ne t'es pas défendue?

Elle montra ses moignons pour toute réponse.

– Tu n'as pas crié pour appeler au secours?

– Non, avoua-t-elle avec une franchise désarmante.

Satisfait de sa démonstration, Kader tourna le dos et regagna son bureau. Louisa le rejoignit quelques minutes plus tard. Au bout d'un long moment, il lui fallut relever la tête et affronter un regard lourd de reproche. Il ébaucha un geste appuyé d'une moue en guise d'excuse.

– La nuit tombe, remarqua Kader. Je vous conseille de rentrer chez vous. Moi, je suis de garde. J'aurais adoré jouir encore de votre compagnie, mais, en ces temps de discordes et de troubles, je ne vous recommande pas de vous attarder. Voyez ce qui se passe aux portes mêmes de l'hôpital. Je vous attends après-demain à huit heures.

Sans desserrer les lèvres, la jeune fille s'en fut à pas vifs.

Kader restait préoccupé par l'état de la jeune femme arrivée la veille. Dans la petite ville où elle vivait et enseignait, elle avait eu le tort de se laisser séduire par un de ses collègues qui, un jour, l'avait déflorée au plus épais d'un bois, au cours d'une étreinte aussi brève que maladroite, et qui avait laissé aux deux amants un sentiment d'irrémédiable gâchis. Leurs inconfortables ébats se renouvelèrent et, au bout de quelques mois, elle se découvrit enceinte, étonnée de constater qu'un être pût se concevoir au milieu d'un fourré. Des cachets d'aspirine aux immondes brouets des avorteuses, elle ingurgita tout ce qu'on lui conseillait, mais ne parvint qu'à se rendre malade. Lorsque commencèrent ses premières douleurs, la célibataire erra d'hôpital en hôpital, toujours rejetée, avant d'échouer dans une occulte clinique où officiait une sage-femme expéditive dont la mine de conspiratrice cachait mal l'incompétence. L'enfant se présentait mal. Elle dut se résoudre, en désespoir de cause, à pratiquer une césarienne. Mais elle ne disposait ni des instruments ni des produits nécessaires.

Le verdict du professeur Meziane avait été sans appel :

– La matrice est infectée. Il faut tout enlever.

Mais l'hôpital ne disposait d'aucun sachet de sang O négatif. L'appel lancé à la radio n'avait encore suscité aucun don. Il fallait attendre.

– Survivra-t-elle jusque-là ? avait demandé Kader.

Le chef de service s'était contenté d'exprimer son impuissance en écartant les bras. Kader était révolté à l'idée de voir s'éteindre cette fragile plante parce qu'elle s'était laissée aller au plus humain des sentiments. Il avait ordonné qu'on la bourre d'antibiotiques dans l'espoir qu'elle survivrait jusqu'au jour de l'opération. Il se montrait plus sensible aux yeux suppliants de la moribonde qu'aux remontrances de son patron qui lui conseillait de faire preuve de plus de détachement.

– Dans notre métier, lui rappelait-il du ton sentencieux qu'il adoptait sur l'estrade de l'amphi, nous avons à affronter la mort à tout instant. Nous devons nous interdire de placer une vie plus haut qu'une autre. Le sort de celle dont la langoureuse beauté t'émeut ne doit pas te conduire à négliger la disgracieuse paysanne qui souffre le martyre.

– Il me faudrait alors renoncer à être humain, et par conséquent partial.

Kader n'ignorait pas que, quelques années auparavant, Meziane avait refusé de se joindre à l'équipe chargée de traiter le Président, atteint d'une maladie incurable.

– Je ne peux l'aider en rien, avait-il répondu. Je suis obstétricien. Je ne ferais qu'encombrer la pièce.

On avait réuni autour du dirigeant la plus fine équipe de médecins algériens, pour le rassurer, même si la spécialité de nombre d'entre eux n'avait aucun rapport avec le mal dont il souffrait. L'omnipotent colonel qui, durant treize ans, avait régi le pays au doigt et à l'œil, avait dû finir par se croire invulnérable. A tant prétendre à l'universalité, il se considérait comme immortel. Balayant d'un revers de main méprisant les propos de ses détracteurs, il en appelait au jugement de l'Histoire. Il fut sans doute offusqué de découvrir que son corps, comme ceux de tous les autres, était soumis aux lois de la biologie. Quelle injustice!

A l'heure d'affronter la mort, les plus puissants de ce monde ont des frayeurs d'enfant.

Meziane savait que sa décision ne pouvait favoriser sa carrière. Il eut à en pâtir durant de longues années tandis que ceux qui s'étaient contentés de dégoiser au chevet du comateux connurent des promotions fulgurantes, en dépit du décès de leur auguste patient.

Kader s'assit au chevet de l'enseignante, tête baissée, afin d'éviter son regard inquiet. Il se contenta de lui tenir la main.

– Tu ne dois pas abandonner. N'oublie pas qu'on t'aime. Je reste là à tes côtés.

Peu avant minuit, en quittant la salle des malades, Kader vit le portier du pavillon se précipiter vers lui, la barbe véhémente et l'index levé. En faisant abstraction des anathèmes proférés on ne savait trop contre qui, le jeune homme crut comprendre que son ami Nacer venait d'être transporté au service des urgences déserté par les médecins de garde. Il savait que ses confrères étaient de plus en plus nombreux à refuser d'assurer leur service de nuit, car ils étaient souvent pris à partie, voire agressés par les proches des malades. En dépit des multiples plaintes déposées, la police restait indifférente.

Il s'élança sur les pas de son guide.

La salle grouillait de barbus porteurs de brassards verts qui s'affairaient avec une vaine fébrilité autour des paillasses. La plupart des malades souffraient de malaises respiratoires après avoir inhalé la fumée de grenades lacrymogènes. Dès son entrée, Kader fut pris au collet par un excité qui lui reprocha d'avoir abandonné son poste. Les invectives fusèrent de toutes parts. Certains entourèrent Kader, la mine menaçante. L'explication du portier ne parvint pas à calmer les plus exaltés.

Kader les écarta et se dirigea vers la seule infirmière présente dans la salle.

– Où sont les médecins ?

– Comment voulez-vous que je le sache ? Vous vous imaginez que c'est à moi qu'ils rendent compte ?

Kader aperçut Nacer à demi inconscient étendu à même le sol. Il n'eut aucune peine à prendre dans ses bras le paquet d'os. Une large poitrine lui obstrua le passage.

– Où l'emmènes-tu ?

Le regard féroce de Kader fit reculer le géant.

Revenu à la maternité, Kader déposa son fardeau et lui fit insuffler de l'oxygène. Le malade recouvra peu à peu sa lucidité. Mais il était sujet à de fréquentes quintes de toux qui le ramenaient au bord de l'étouffement.

– Quand cesseras-tu donc de faire l'idiot ? lui demanda Kader avec aigreur.

Nacer relevait d'une tuberculose. Il avait négligé son traitement posthospitalier et s'était même remis à fumer en dépit de l'interdiction formelle de son médecin.

– Dans ton état, tu t'amuses à respirer les

fumées lacrymogènes. C'est en agissant ainsi que tu penses ménager tes poumons?

Nacer était de toutes les révoltes. Chef électricien dans une usine de camions, il avait d'abord adhéré à un groupuscule trotskiste, ce qui lui avait valu de régulières interpellations de la police. Il écopait parfois quelques coups.

– Vous savez quel est mon rêve? disait-il alors à ses amis. C'est, un jour, comme ça, en plein interrogatoire, de leur claquer entre les mains. Ils seraient bien emmerdés.

– Tu crois ça? rugissait Saïd. C'est qu'il te reste des illusions sur nos dirigeants.

En dépit de ses diatribes enflammées, Kader n'était jamais parvenu à voir en lui le dangereux subversif que décrivaient les rapports des Renseignements généraux. Il savait que Nacer était sensible comme pas un à la détresse humaine, qu'il entrait en émoi à la vue d'une fillette marchant pieds nus dans la rue, que le moins roublard des mendiants pouvait alléger ses poches des derniers sous qui les lestaient, qu'il n'avait jamais pu se résoudre à sanctionner les négligences de ses ouvriers.

– Il a un cœur de beurre, affirmait Saïd. Il fond à la première supplication.

– Mais il a aussi de mauvais poumons, ajoutait Kader.

Lorsque, quelques mois plus tôt, s'était déclenchée une grève à l'usine, Nacer avait été le premier à être arrêté. Il avoua plus tard à ses amis :

– J'étais, bien sûr, à l'origine de la panne électrique qui a contraint les brebis galeuses à débrayer à leur tour.

Il passa toute la nuit au commissariat. Lorsqu'il en fut éjecté, il resta longtemps accroupi sur le trottoir, incapable de reconnaître l'endroit où il se trouvait, toussant et éructant de pourpres viscosités. Une timide lueur signalait la naissance de l'aube. La rue était déserte. Il eut le sentiment qu'il errait dans une ville fantôme. Il était épuisé. A qui demander secours? Il se contenta de lever les yeux au ciel. Lorsque fusa le chant du muezzin, il eut la conviction que son appel muet venait d'être entendu. Un regain de force lui permit de se redresser. Il se mit à marcher, guidé par la voix du haut-parleur. Parvenu devant la mosquée, il pénétra dans la salle de prière encore déserte en oubliant d'ôter ses chaussures. Il choisit le plus sombre recoin pour s'y réfugier. Il resta longtemps ainsi prostré. Il finit par s'assoupir. Lorsqu'il rouvrit les yeux, il vit un imam assis non loin de lui qui psalmodiait une sourate du Coran. Nacer se laissa bercer par le rythme lancinant et doux de la récitation. Il se surprit à écouter avec une attention douloureuse le chapelet de versets. Des larmes commencèrent à couler le long de ses joues.

Bien après la fin de la litanie, Nacer restait extatique, le regard perdu parmi les arabesques du tapis. Lorsqu'il essaya de se relever, il eut le vertige, et ses jambes l'abandonnèrent. Le bras secourable du psalmiste lui évita la chute.

– Dis-moi, lui demanda Nacer, d'où te vient ta sérénité, alors que nous vivons dans un monde si troublé ?

– Du Livre.

– Tu ne ressembles pas aux autres. Je lis de l'indulgence dans ton regard.

– Allah est le plus miséricordieux.

– Me serait-il permis de prier ?

– Bien sûr.

Se sentant pris à son propre piège, Nacer tenta de se rétracter.

– C'est que l'heure est passée, fit-il remarquer à l'imam.

– Il n'y a pas d'heure pour s'adresser à Dieu.

– Je n'ai pas fait mes ablutions.

– La pureté de l'âme compte plus que celle du corps.

– J'ai oublié les versets de la Fatiha.

– Il te suffira de répéter après moi.

Le lendemain, à l'aube, presque sans y prendre garde, Nacer retrouva le chemin de la mosquée. Il prit sa place parmi les pratiquants. Après s'être prosterné, il ne put plus se relever. Il rouvrit les yeux au centre de traitement de la tuberculose. Le psalmiste rencontré la veille était assis à son chevet, le Coran en main, toujours en train de lire. En relevant la tête, il s'aperçut que le malade le regardait fixement. Il referma le Livre qu'il posa sur le lit, se leva et s'éloigna sans prononcer un seul mot. Lorsque Kader et Saïd arrivèrent, c'était Nacer qui tenait le Coran.

Saïd lui avait fait remarquer la brutalité de sa conversion.

– Tu troques Trotski contre Mahomet ?

Kader remarqua avec soulagement que la respiration de son ami recouvrait son rythme normal. Il ignorait tout des événements qui se déroulaient devant la porte de l'hôpital.

– Que se passe-t-il dehors ?

Nacer souleva le buste en s'appuyant sur un coude.

– Nous avons organisé un sit-in sur la place publique. Mais la police est passée à l'attaque cette nuit. Elle veut nous déloger de là. La bataille fait rage.

– Vous deviez vous y attendre, non ?

– On nous avait promis qu'il n'en serait rien.

– Vraiment ? Tu vois un gouvernement laisser des émeutiers occuper tranquillement des lieux publics ?

– Un accord secret avait été conclu.

– On en apprend tous les jours, conclut Kader. Mais je te certifie que tes alvéoles ne résisteront pas longtemps aux nuits humides de la ville et aux fumées des grenades. Je te signale que ceux qui t'incitent à camper avec eux ont des poitrines en parfait état.

Il rejoignit son bureau et s'acharna durant une demi-heure au téléphone avant de pouvoir obtenir un des médecins chargés du service des urgences. Dix minutes plus tard se présenta un dilettante, cigarette aux lèvres et mains enfoncées dans les poches de sa blouse. Kader se rappelait l'avoir croisé de temps à autre. Le confrère lui tendit une main molle qu'il retira aussitôt pour la remettre dans son nid.

– Oui ?

La désinvolture du ton et la nonchalance de l'allure mirent un comble à l'irritation de Kader. Il fit effort pour réfréner sa fureur.

– Il y a beaucoup de gens qui attendent tes soins.

– Tu n'es pas encore mon patron, que je sache. Je te conseille de retourner soigner tes nanas.

L'homme lui tourna le dos et s'en fut. Mais il se ravisa après quelques pas et revint vers Kader, le pouce levé au-dessus de son épaule.

– Tu as vu ce qui se déroule là-bas ? Les vicaires d'Allah décident à notre place des soins à administrer aux malades. A quoi puis-je servir, dans ce cas ? Je n'ai pas une vocation de souffre-douleur. Je repars dormir.

Révolté par un tel manque de conscience, Kader décida de regagner le service des urgences. Il accrocha de son index recourbé en hameçon le qamis du gorille qui avait tenté de lui barrer le passage au moment où il évacuait Nacer.

– Viens avec moi, lui dit-il.

Le colosse se révéla être d'une docilité imprévue. Après une longue marche, Kader désigna à son compagnon la porte d'un édicule. Un puissant coup d'épaule suffit à faire sauter la vieille serrure. En pivotant, le panneau découvrit les bouteilles d'oxygène sagement adossées les unes aux autres.

Kader ordonna à son acolyte d'ôter son qamis. Après avoir fait mine de s'offusquer, ce dernier s'exécuta. Le médecin noua les manches de la robe afin de la transformer en sac, puis se mit à y enfourner les bouteilles. Le géant, qui venait de comprendre, chargea le butin sur son épaule.

En quittant Si Morice, Saïd fut surpris par le feu d'artifice qui embrasait la place. Comme il ne voulait rien perdre du spectacle, il emprunta une ruelle qui lui offrait un meilleur champ de vision. Les traînées de fumée des grenades enguirlandaient le ciel. Suffoqués, les occupants des immeubles avoisinants faisaient tinter leurs casseroles avec le dos des cuillères, en signe de protestation. De vieilles femmes étaient prises de malaise. Des jeunes gens passaient de cage en cage pour conseiller aux habitants de respirer au travers d'un mouchoir imbibé de vinaigre. A quelques dizaines de mètres de là, plusieurs taxis, portes ouvertes, se proposaient de convoyer gratuitement à l'hôpital les personnes indisposées.

Délaissant son observatoire, Saïd rejoignit les manifestants. On s'interpellait de toutes parts :

– On les aura, ces salauds!

– On connaît les moindres recoins du quartier. Eux viennent d'ailleurs.

– On a brisé la vitrine du marchand de vin. On avait besoin du vinaigre qu'il stockait pour le mélanger au pinard.

Messaoud posa sa main sur l'épaule du routard.

– Tu es venu participer à la fête? Je te signale que ton ami Nacer vient d'être transporté à l'hôpital. Il est plutôt mal en point.

Nez enfoui dans un tas de décombres, Si Morice se réveilla hagard et assoiffé. Il se releva avec peine puis s'ébroua. Il fut surpris de découvrir qu'il était revêtu de sa kachabia des temps héroïques, lorsqu'il vivait dans les bois.

– C'est bizarre, constata-t-il. Pourquoi ai-je été m'envelopper de cette harde qui avait gagné une retraite méritée et que je ne gardais que comme relique?

Ses habits étaient maculés de poussière, mais le vieillard se préoccupa surtout de nettoyer sa barbe.

– Saloperie de whisky. Je ne me souviens plus de rien. Combien de temps ai-je dormi? J'ai la gorge sèche.

Il se surprit désorienté dans la nuit aveugle.

– Que sont devenues les lumières de la ville?

Ses membres étaient ankylosés. Il gravit à pas mal assurés, en s'aidant de sa canne, l'amas de gravats, puis poursuivit son chemin dans la rue déserte.

– Pourquoi n'y a-t-il plus personne dans la ville? Que sont devenus ses habitants?

Au bout de quelques mètres, il buta de nouveau contre un amoncellement de débris qui obstruait la ruelle. Sa canne fit tinter un morceau de plexiglas à moitié enseveli. Il l'extirpa puis le leva vers la faible clarté du ciel pour déchiffrer le vestige d'inscription. Une soudaine hilarité fit tressauter sa poitrine. Il venait de reconnaître le magasin saccagé.

– Ah! C'est celui de l'épicier revendeur clandestin de pinard. C'est bien fait pour sa devanture. Il n'a jamais voulu me faire crédit. Il ne pourra plus s'enrichir sur notre soif. Je suis sûr qu'on a dévalisé tout le contenu de son arrière-boutique. J'aurais bien aimé prendre part à la curée.

Un brusque accès de lucidité le fit sursauter :

– Qu'est-ce que je fiche ici? Je suis bien loin de mon quartier.

Il avait l'impression qu'une main géante s'était amusée à remodeler la ville.

– Je ne reconnais plus rien. Aurais-je la berlue? C'est sûrement l'alcool avalé qui continue à perturber mes neurones. Ce devait être une bouteille de whisky frelaté. Saïd, qui me l'a offerte, aurait intérêt à se méfier des bédouins qu'il fréquente.

Il continua d'avancer en aveugle, la canne tâtonnante. Il crut apercevoir au loin une lueur d'incendie. Sa gorge expulsa un râle nerveux.

– Il y a bien longtemps que nous vivons en orphelins sous un ciel indifférent, murmura-t-il.

Pour la première fois, le vieil homme ressentit le poids de son âge. Il alla s'accroupir au pied d'un mur et eut plaisir à se laisser gagner par un sentiment de détresse.

– La ville s'est transformée en piège, je ne sais plus comment rejoindre mon quartier et tous mes amis m'ont abandonné.

Le faisceau d'une lampe éclaira la barbe de Si Morice, toujours prostré.

– Qu'est-ce que tu fais là, vieil homme? lui demanda la voix.

– Je ne suis pas un vieil homme, protesta Si Morice en se relevant vivement. C'est seulement la poussière qui rend ma barbe grise. J'attends la fin de la nuit pour achever de me débarbouiller.

– Tu devrais rentrer chez toi. Ces temps ne sont guère propices aux promenades nocturnes. A une centaine de mètres d'ici, les gens sont en train de s'entre-tuer.

– Je n'arrive plus à retrouver mon chemin. Serais-je rendu au pays des nains? ajouta-t-il lorsqu'il distingua la silhouette.

– Je vais t'y mener, si tu te souviens du nom de ta rue.

Si Morice s'avança et découvrit un garçon d'une quinzaine d'années.

– Laisse-moi m'appuyer sur ton épaule. Mes genoux me font mal.

– On va où?

– J'ai oublié le nom de la rue. C'est juste en face de la fontaine romaine.

– C'est un endroit que je te déconseille. Là-bas, on tiraille à tout va.

– Je dois savoir ce que sont devenus mes amis.

– Dans ce cas, moi je t'abandonne ici. Tu n'as qu'à continuer tout droit.

– Non, supplia Si Morice, reste avec moi. J'ai encore deux pleines bouteilles de vin. Je te les donnerai.

– Qu'est-ce que j'en ferai?

– J'ai aussi un peu d'argent.

– Dans les jours qui viennent, l'argent deviendra ici la chose la plus inutile du monde. C'est de pain qu'on va manquer. Moi, je suis venu rendre visite au supermarché afin de me constituer quelques provisions.

– Tu sais bien trop de choses pour ton âge. D'où viens-tu?

– Des bas-fonds de la ville. C'est une bonne école.

Qu'est-ce que tu fais dehors à cette heure-ci? Tes parents doivent s'inquiéter.

– Mes parents?
– Oui.
– Inconnus. Je suis un produit de l'hospice.
– J'ignorais qu'il en existait un dans ce quartier.
– Les autorités cachent soigneusement l'existence de ces lieux d'asile pour enfants abandonnés par des mères fautives. Tant mieux. Les bigots, qui portent barbe comme toi, auraient vite fait de venir les saccager.
– Je ne suis pas un bigot, se récria le vieillard. J'aime trop le whisky. Je m'appelle Si Morice. Tu as dû entendre parler de moi.
– Jamais.
– Étrange. Je suis pourtant très connu dans la ville.
– Je suis né un siècle après que le dernier poil de ta barbe est devenu blanc.
– Le temps qui passe, c'est comme la poussière qui s'accumule : on n'y prend jamais garde. Je ne suis plus qu'un ancêtre, un survivant. Un jour, je te raconterai mes aventures. Tu verras quel homme j'ai été!
Saisi par une brusque curiosité, Si Morice se pencha vers le garçon :
– Explique-moi comment on vit dans un hospice.
L'orphelin se dit qu'il était en train de perdre son temps avec un fou.
– Tu crois que c'est le lieu et le moment indiqués?

Le garçon se rappela que l'endroit où il avait vu le jour était plus mal famé qu'un bordel. Aux enfants recueillis, on offrait plus de haine que de lait. Méprisés et malmenés, ils grandissaient sans la moindre affection et devenaient débiles ou dévoyés. Les premiers mouraient de stupidité, les seconds se retrouvaient devant la porte d'un centre de rééducation. L'enfant avait suivi cette deuxième voie et fréquenté nombre de ces établissements. Sitôt interné, il ne songeait plus qu'au moyen de s'enfuir. Lassée, la police avait renoncé à le rechercher.

– C'est du passé. Je viens de m'évader encore d'une maison de correction. Et tu peux garder pour tes fils la leçon de morale que tu as envie de me servir.

– Je suis bien mal placé pour sermonner qui que ce soit. J'ai des cargaisons de fautes à me reprocher.

– Tu portes ton passé comme une femme son premier bébé. Il faut que je parte. Je te rappelle que, si tu t'obstines à vouloir rentrer chez toi, tu risques de roussir ta barbe. Je te conseille de prendre la direction inverse. Après l'hôpital, les rues sont plus calmes.

– L'hôpital? s'écria Si Morice. Kader y travaille. Il est de garde cette nuit. Je vais aller lui rendre visite.

Son jeune compagnon était déjà loin.

– Hé! cria Si Morice, quel est ton nom?

– Palsec, lui répondit une voix dans la nuit.

– Tu es un bon petit, murmura-t-il pour lui-même.

Si Morice partit d'un pas hésitant en direction de l'hôpital.

Saïd le surprit en train de secouer furieusement la grille d'entrée.

– D'où viens-tu? lui demanda le vieillard.

– Je suis allé observer le feu d'artifice. C'était très réussi.

– On va assister à la fête sans moi? On m'oublie?

– Où étais-tu?

– Enterré sous une montagne de gravats.

– Dommage que tu en aies réchappé. J'espérais pouvoir hériter de ta réserve secrète de whisky.

– Tu sais bien que je suis immortel.

– Non, pas immortel. Dispensé d'âge.

Le vieil homme émit un rire saccadé, presque forcé, comme pour se purger rétrospectivement des effets de sa peur. Le routier lui apprit que Nacer venait d'être hospitalisé et qu'il voulait prévenir Kader pour qu'il s'occupât de lui.

– Inutile de t'acharner sur le portail. Suis-moi, je connais une entrée discrète, ajouta-t-il.

6

Durant ses nuits de garde, Kader affectionnait ces moments d'avant l'aube, empreints de sérénité. Dans le monde de souffrance où il vivait, il savait que même les malades les plus atteints sentaient refluer leur douleur. Ils pouvaient s'assoupir enfin tandis que cessaient les gémissements. Le pavillon prenait alors l'apparence d'un lieu de paisible retraite, à mille lieues de la fureur du monde.

Ils s'étaient installés dans la salle de soins autour de Nacer. Si Morice avait exigé qu'on pose un matelas sur le sol afin de pouvoir s'étendre à son aise. Il semblait totalement remis des frayeurs de son errance nocturne. Ce havre singulier lui avait permis de recouvrer son assurance et sa verve. Il aimait se retrouver hors du monde et du temps. Ces parenthèses l'aidaient à renouer le fil de son existence.

Kader éprouvait une pitié mâtinée de sympathie pour cet homme qui ne vivait plus que de souvenirs. L'évocation de son passé lui permettait de supporter un présent qu'il ne faisait que survoler négligemment, comme s'il n'en percevait que l'insignifiance. Les événements que vivait le pays restaient dérisoires à ses yeux. Il trouvait un précieux secours dans l'alcool qui l'aidait à demeurer à la surface des choses et surtout à laisser fuir, sans mémoire et donc sans regret, des jours aussi vides qu'insipides.

Il aimait se raconter. A de rares moments, abandonnant sa forfanterie coutumière, il déclarait à ses intimes qu'il était conscient d'être devenu un radoteur. La conviction qu'il avait pris part à une formidable épopée illuminait et justifiait toute sa vie. En revanche, elle le privait de tout avenir, car il avait acquis la certitude qu'aucun événement actuel ne méritait la comparaison avec ce qu'il avait connu. Plus rien désormais ne pouvait susciter son enthousiasme. L'âge venant, il ne faisait plus que cultiver sa nostalgie.

– Je parle beaucoup, disait Si Morice, mais je sais tenir ma langue. En dépit de ma faconde, je n'ai jamais divulgué mes secrets. Je sais des choses atterrantes sur les plus importants personnages de ce pays. C'est la raison pour laquelle, en haut lieu, on me ménage et me craint. Je n'ai aucun mérite. C'est la peur qui tient ma bouche close. Je connais bien mes anciens compagnons : pour un simple mot, ils assassinent. Croyez-moi, je n'essaie pas de vous mystifier pour me donner de l'importance. Je sais des choses plus lourdes à porter que le poids de la planète.

Unique enfant d'un grand propriétaire foncier des hauts-plateaux, Si Morice avait eu une enfance sans contraintes ni devoirs, choyé et adulé par ses parents, servi par une nombreuse et diligente domesticité.

– J'ai grandi dans l'idée que tout m'était permis. Dieu me pardonnera toutes les vilenies que j'ai commises, car j'agissais en toute inconscience.

Il précisait qu'il avait vu le jour au sein d'un monde médiéval et clos qui autorisait tous les caprices, toutes les folies. Il tenait son père pour un féodal adulé par ses paysans qu'il traitait pourtant en esclaves. L'homme se comportait en chef de grande tente qu'il était, arrogant mais pragmatique. Il n'ignorait pas par conséquent que le prestige et l'avenir d'une smala s'assuraient et se confortaient à la mesure du nombre d'enfants mâles procréés. Mais c'était lui cependant qui consolait mensuellement sa femme, désespérée au constat de ses écoulements intimes. Le temps passait et la taille de l'épouse restait toujours aussi fine, au grand dam de la famille. En dépit de toutes les pressions, il refusa de se séparer de celle qu'on accusait de stérilité, tout comme de convoler en secondes noces afin de lui adjoindre une compagne plus féconde, ce qui était courant à l'époque.

Peut-être qu'il l'aimait? se demandait Si Morice. C'était pourtant chose incongrue dans ce milieu. Dans notre conception de la virilité, on devait réfréner toute manifestation sentimentale.

La naissance de l'enfant avait donné lieu à des festivités interminables.

– Ma mère releva enfin le front en tendant à son mari l'héritier tant espéré.

Il évoquait rarement sa mère. Il notait cependant, en ses habituels paradoxes, qu'elle n'avait jamais compté.

– C'est pourquoi il est difficile d'en parler, ajoutait-il dans un visible effort pour surmonter sa tendresse.

Présence immanente et banale, pourtant essentielle. Il lui suffisait de s'absenter un jour, pour rendre visite à ses parents, et c'était le séisme. Tout allait de travers. Devenu irascible, le père entrait en fureur pour la moindre peccadille, terrorisant son personnel. Il se dépêchait de la faire revenir sous le premier prétexte. Rayonnante, elle descendait de la calèche pour serrer dans ses bras un fils larmoyant, regard levé vers son mari qui tentait de cacher sa joie.

Peut-être qu'elle l'aimait? se demandait Si Morice.

Il ajoutait qu'en ces temps-là, chez eux, les mariages étaient toujours arrangés, et que son père s'était uni dans le strict respect de la tradition. Il n'avait jamais rencontré auparavant la jeune fille qu'on lui destinait. Leurs tuteurs avaient aisément conclu l'alliance, car les deux familles étaient comparables en honneur et en fortune.

Si Morice aimait clore chaque chapitre de ses souvenirs par un point d'orgue sentencieux.

– Je sais que vous n'avez rien connu de tout cela, confiait-il à ses amis. Vous êtes nés bien plus tard. Mais, comme vous le constatez, la différence d'âge ne m'empêche pas de vous comprendre. L'inverse est-il vrai? J'en doute.

Appuyé sur le coude, Si Morice souleva son buste et suivit longuement des yeux un cafard qui se promenait sur le plafond de la salle où ils étaient réunis.

– Je garde peu de souvenirs des premières années de ma vie.

Après force prébendes et interventions du père, l'enfant fut admis à l'école primaire la plus huppée d'Alger, pourtant réservée aux fils des grands colons. Son géniteur avait réussi à émouvoir un influent sénateur en promettant de livrer à sa tannerie toutes les peaux de ses moutons.

– Je comprends qu'il ait bâti de grandes ambitions pour son fils unique. Mais, lors de cet exil dans la capitale, j'ai perdu ma mère et son aura d'amour qui éclairait mon chemin. Je n'étais guère préparé à affronter la solitude et l'obscurité. Cela explique sans doute mes errements.

Si Morice fut-il brillant élève? Pas selon lui. Il affirmait qu'il n'avait pas appris à faire d'efforts, en sa qualité de futur héritier à l'avenir assuré. Il veillait seulement à ne pas traînasser dans le classement afin de ne point déshonorer son père, et surtout à ne pas chagriner une mère si lointaine.

Il se rappelait avoir été accepté au lycée sans difficulté. Le proviseur, inculpé dans une sombre histoire de viol, avait été relaxé après le retrait de la plainte du père de la victime, dont le domaine jouxtait celui du grand propriétaire qui lui avait rendu de nombreux services.

Après un surprenant succès au bac, Si Morice fut envoyé en France où il papillonna d'une université à l'autre.

– Mes incessantes migrations s'expliquent par le fait que je n'arrivais pas à me décider pour une spécialité.

Mais il ajoutait aussitôt, comme pour contredire ce qu'il venait d'affirmer, qu'il montra moins de goût pour les études que pour les aventures galantes qui absorbaient le plus sombre de ses nuits et le plus clair de ses ressources. Il avait commencé par sévir parmi ses voisines d'amphi. Pour épater ses proies, il les invitait dans les restaurants les plus luxueux où il dépensait en une soirée l'équivalent de la bourse trimestrielle de l'étudiante, effarée par un tel gaspillage. Il ne manquait pas d'achever ses victimes par de longues tirades où la forfanterie le disputait à la provocation.

– Cesse donc de t'étonner. Je suis le fils d'un féodal. J'ai hérité de sa mentalité en attendant sa fortune. Nous sommes les apôtres de la prodigalité, comme l'étaient vos seigneurs du Moyen Age. Nous dilapidons nos revenus en agapes monstrueuses, en voyages interminables, en achats de bijoux et en extravagances diverses. Fort heureusement, nous demeurons imperméables à la mystique capitaliste et à sa religion de l'investissement. Grâce à Dieu, nous savons encore l'art de dissiper les richesses.

Il se rengorgeait au moment du cognac pour préciser que, lors de sa circoncision, on avait organisé des réjouissances qui avaient coûté l'équivalent d'un lustre de revenus familiaux. Ce qui contraignit par la suite son père à exiger davantage de ses métayers. Comme dans les contes, durant sept jours et sept nuits, on avait tenu table ouverte. À l'époque, la région connaissait une grande misère. Dès l'annonce des festivités, les affamés accoururent de toutes parts. Ils bivouaquèrent sous l'oliveraie et ne repartirent qu'à la fin du festin. Cet événement ne contribua pas peu à rehausser le prestige de la famille qui, pour les indigents, se mesurait à l'aune de ses largesses.

– Ce qui explique que mon père n'eut jamais de peine à recruter des centaines de moissonneurs. Pourtant, user de la faucille sous le soleil de juillet est un travail de forçat. On sue toute l'eau de son corps. On reste penché douze heures par jour. Quand enfin on se redresse, les vertèbres craquent. Les brindilles acérées des tiges brisées blessent les yeux ou, avalées, se plantent dans les narines et le palais. Lorsque, à la tombée de la nuit, on peut enfin se rincer la bouche et le nez, l'eau rejetée est rouge de sang. Les yeux pleurent. D'incessants picotements perturbent le sommeil des ouvriers exténués.

– Sept jours et sept nuits? répétait l'incrédule compagne d'un soir, une sérieuse et brave Normande élevée dans le culte de l'économie et de l'effort.

– Mon père m'engueule pour la forme, mais je sais qu'en son for intérieur il est ravi de me renouveler les folles sommes que je gaspille ici. D'ailleurs, je ne fais que suivre son exemple.

– Mais pourquoi ne pas employer tout cet argent à quelque chose de profitable?

Le jeune homme soupirait, convaincu de l'inutilité de toute explication.

Il se lassa vite de ce trop facile gibier. Il se mit à écumer les milieux cosmopolites, courtisant sans distinction de fausses princesses russes, des Argentines à l'accent rocailleux, les femmes royalement répudiées des émirs du Golfe ou les tendres blondes des services spéciaux soviétiques. Enfin, il s'enticha d'une péripatéticienne redoutablement experte. Il voulut la racheter à son proxénète, afin d'être seul à bénéficier de sa science amoureuse, mais la lettre emberlificotée qu'il adressa à son père pour lui soutirer le montant de la rançon intrigua ce dernier qui se décida à effectuer le voyage. Interrogeant les compagnons d'études de son fils, l'enquêteur finit par découvrir la dernière lubie de son rejeton. Il se rendit chez la gagneuse et entreprit, moyennant le prix d'une passe, de la convaincre de laisser l'étudiant rejoindre les bancs de son amphi. La dame se montra moins sensible à la leçon de morale qu'au visage doré du prêcheur. Et comme son émoi tendait dangereusement son corsage, le père du dévoyé finit par succomber, justifiant sa capitulation par le prix déjà payé. Le père dut être aussi comblé que le fils car il s'acquitta du montant requis et disparut avec elle. Il eut tout de même le temps d'écrire à sa femme pour lui annoncer qu'il avait décidé de mettre à profit son déplacement pour poursuivre son voyage jusqu'aux Lieux Saints afin d'accomplir son devoir de musulman.

– Je me demande si ma mère prêta crédit à ce prétexte. Elle était bien trop fine. Mais si elle eut quelques doutes, elle n'en laissa jamais rien paraître. Elle pouvait fermer les yeux, puisqu'elle se savait aimée.

Durant les vacances universitaires, le jeune oisif retournait au bercail pour épuiser sa fureur d'être, enfourchant les magnifiques étalons du haras paternel en folles chevauchées. Il n'hésitait pas à trousser toute paysanne rencontrée dans les champs. A l'époque, le travail était rare et les pères des vierges n'osaient se plaindre des exactions du fils du puissant notable.

– Combien de rejetons ai-je ainsi semés au travers de la haute plaine ? C'était un comportement dû à mon inconscient de classe, comme me l'expliquèrent plus tard mes professeurs parisiens.

Ce fut dans un hôtel de Cannes que voulait visiter sa dernière conquête que Si Morice apprit par la radio le déclenchement par le FLN de la lutte armée. En s'avisant qu'on avait fait le coup de feu sans lui, outré, il plaqua son amoureuse sans payer la chambre et, rentré au pays, il dévalisa le coffre paternel et rallia les maquisards.

Le chef de groupe entre les mains de qui échut le pactole eut quelques tiraillements de conscience. Il aurait bien voulu s'approprier la fortune, mais la peur l'emporta : les insurgés avaient le jugement expéditif et le couteau leste.

Son premier responsable de katiba était un fanatique religieux qui, en rejoignant la montagne, prétendait relever le vert étendard du Prophète en pourfendant les infidèles. Il imposait à ses hommes le plus strict rituel islamique, la pratique obligatoire des cinq prières quotidiennes, et n'engageait le combat qu'après avoir récité un passage approprié du Livre Saint. « Allah est le plus grand » était le signal de l'assaut. Bien entendu, Si Morice mit son point d'honneur à se démarquer, refusant de se soumettre aux commandements extra-militaires.

Le bigot envisagea sérieusement de faire égorger le mécréant, mais ses adjoints réussirent à le convaincre de s'en débarrasser en le mutant. Il traîna alors pendant quelques années de zone en zone.

Comme sa réputation sulfureuse le précédait toujours, tout commandant qui en héritait prenait soin de lui affecter les tâches les plus solitaires, craignant que ses idées ne contaminent ses troupes. On le chargeait par conséquent des corvées les plus répugnantes, mais aussi les plus singulières. C'est ainsi que, sous prétexte de renflouer les caisses, l'un d'eux le chargea de récupérer les couronnes d'or et de platine des dents des cadavres restés sur le champ de bataille, sans distinction de camp.

– Il fallait opérer très vite, avant que la rigidité crispe les mâchoires des trépassés. Maigre butin. Les rictus forcés des soldats de l'armée française ne découvraient que d'impeccables rangées d'ivoire qui attestaient d'un brossage régulier. Les lèvres retroussées de mes compatriotes n'offraient à la vue que des gencives semées de noirs chicots.

Le charognard eut tôt fait de découvrir que son supérieur amassait pour son propre compte les débris de métaux précieux, en vue de se constituer une confortable retraite après la fin des combats.

– Je n'ai pas manqué de le dénoncer. Il fut égorgé.

Si Morice prit l'habitude de se porter volontaire pour les missions les plus périlleuses. Mais son défaut rédhibitoire restait son franc-parler.

– J'aime dénigrer. Comme il m'arrive souvent de tomber juste, cela dérange. J'ai ainsi appris que la franchise ne payait jamais. Depuis, je m'astreins à contrôler mes propos, comme vous l'avez noté.

Un jour, on envoya sa compagnie réduire un pugnace groupement ennemi incrusté dans les contreforts des hauts-plateaux. Les maquisards avaient cru à une banale opération de nettoyage. Mais lorsque, au moment de l'assaut, ils entendirent, en écho à leur propre invocation, le même nom d'Allah, ils restèrent pétrifiés, supposant une méprise.

Seul l'officier savait. Il confirma l'ordre d'ouvrir le feu.

– Ce fut une horrible boucherie. Les blessés furent achevés au couteau. Il s'agissait pourtant d'une troupe de compagnons. Pour quelle obscure raison avait-on décidé de les éliminer?

Après ce massacre, de nombreux combattants désertèrent ou se rendirent à l'armée française. D'autres se surprirent à ruminer les propos de l'insolent baroudeur qui affirmait :

– La justesse d'une cause n'a pas l'immanente vertu de nous préserver de l'injustice. Bien au contraire, la conviction de notre bon droit a souvent tendance à nous rendre moins vigilants. Ainsi commencent les dérives.

Sur ordre supérieur, la compagnie fut dissoute et ses éléments dispersés aux quatre coins du pays.

Fatigué par son récit, Si Morice s'endormit comme un enfant. Le soleil se levait derrière les vitres de l'hôpital.

Que nous réserve le jour qui vient ? se demanda Kader.

7

Dans l'après-midi, en pénétrant dans l'hôpital, Kader fut saisi d'un étrange pressentiment. On ne distinguait nulle trace de la furie de la nuit. Au contraire, il y régnait un calme inhabituel. Quelque chose avait changé, mais il ne savait pas quoi. Il mit son malaise sur le compte de la fatigue.

L'homme à la vaste poitrine dont il avait fait connaissance la veille lui barra l'entrée du pavillon.

– Où est-ce que vous allez?

– Rejoindre mon poste.

Le compagnon de son équipée nocturne en quête de bouteilles d'oxygène fut long à le reconnaître, mais finit par lui céder le passage.

Une fois dans son minuscule bureau, Kader eut la surprise de voir le portier installé sur sa chaise. Il ne s'en offusqua guère, car il avait l'habitude de voir les petits employés se comporter à leur aise. Il supposa que celui-ci était venu lui recommander quelque parente malade. Mais l'agent, sans tenter de se lever, accueillit le médecin avec un regard sévère.

– Puis-je consulter les fiches de mes patientes? demanda sèchement Kader.

– Pas pour le moment, lui répondit le portier sur un ton qui n'admettait pas de réplique.

Il ajouta qu'un nouvel ordre régnait à l'hôpital et qu'il avait été désigné comme responsable de l'étage. Kader éprouva un sentiment de fureur mâtinée de dépit. Il n'ignorait pas que l'ancien garçon de salle avait fait l'objet de plusieurs plaintes qui l'accusaient de rançonner les parents des malades et de subtiliser des médicaments pour les revendre à l'extérieur. Refusant de transmettre ces rapports à l'administration, le professeur Meziane s'était contenté de lui assigner un autre poste. Cette indulgence avait étonné ses collaborateurs. Devant les protestations de Kader, le chef de service lui avait révélé que de bien plus graves soupçons pesaient sur l'homme. Il aurait été l'auteur du viol d'une femme enceinte. Mais d'occultes et puissants protecteurs veillaient sur le satyre. Le directeur de l'hôpital lui-même s'était avoué impuissant. Pour obtenir son renvoi, Meziane avait mis sa démission dans la balance.

– C'était stupide de ma part, confia-t-il plus tard à son adjoint.

De sa houleuse entrevue, le professeur avait retenu que partir était la pire des solutions.

– Ce jour-là, j'ai compris qu'en leur laissant le champ libre, on ne faisait que favoriser les progrès du mal. Tu sais bien qu'une septicémie doit être combattue par tous les moyens. Dans l'espoir de contribuer à contenir les ravages à venir, j'ai donc accepté de répondre tous les matins aux salutations de ce salaud.

Kader se précipita vers le bureau de son patron. En découvrant que Meziane se trouvait lui aussi doté d'un tuteur, la hargne du jeune homme se dissipa aussitôt. Sa mine soudain contrite suscita le sourire du chef de service.

L'homme qui, sans la moindre gêne, se tenait auprès du vénérable professeur, était bien connu dans l'établissement.

Quinze ans auparavant, il s'était décidé à quitter Msila avec femme et enfants pour débarquer sans crier gare chez son jeune frère qui occupait à Alger avec son épouse et son garçon une pièce sans aération dans la cave d'un immeuble. Si le cadet fut consterné à l'idée de devoir se serrer encore et nourrir tant de bouches, il n'en montra rien. L'émigré à la recherche d'un emploi, après une longue quête, se rendit compte que la capitale n'était pas le pays de cocagne qu'on lui avait décrit. Il n'avait fait qu'essuyer des refus. Désœuvré, le paysan prit l'habitude d'accompagner à l'hôpital son frère qui travaillait dans un service de reprographie. Cet analphabète manipulait jour après jour, les mains maculées d'encre, des stencils qui imprimaient des centaines de pages. Il restait effaré de constater que l'exercice de la médecine impliquât la production de tant de paperasse. Il ne mesurait plus désormais le bon fonctionnement de l'hôpital qu'au nombre de feuilles sorties de la ronéo. Il évaluait l'importance des médecins à l'aune des imprimés et écrits qu'ils lui remettaient. Lorsque des malades se plaignaient devant lui de la pénurie de fil à suturer ou de compresses, il leur expliquait avec fierté que l'achat de chaque produit exigeait l'établissement d'un nombre donné de formulaires, en multiples exemplaires, signe d'une complexe organisation. Il leur précisait que seuls quelques scribes méticuleux et précis, retranchés dans des bureaux inaccessibles, parvenaient à maîtriser ces subtiles procédures. Quant à lui, il avait beau scruter les documents que la machine dégorgeait, il ne réussit jamais à percer le secret de ces hiéroglyphes qui commandaient l'arrivée de rouleaux de gaze ou de bouteilles de sérum. Il en vint à se considérer comme l'ignare exécutant des miracles chaque jour renouvelés. Il se rengorgeait dès qu'il apercevait un camion de livraison. Toujours ébloui de voir transformés en cartons de médicaments les noirs gribouillis que produisait la machine, il ne manquait pas d'adresser un signe de connivence au chauffeur inconnu.

Le chômeur prit l'habitude de s'installer chaque matin sur le perron du pavillon administratif, saluant les employés à leur arrivée. Il renseignait les visiteurs, aidait ceux qui coltinaient des paquets, se proposait d'aller chercher des cafés. Le directeur eut beau lui signifier qu'il n'avait nul besoin de ses services, il le retrouvait dès le lendemain à la même place.

Tout le personnel louait son obligeance et son amabilité. Ému par son obstination, le responsable finit par le recruter comme chauffeur d'ambulance. Bien que doté de son permis de conduire, il se révéla d'emblée d'une maladresse inquiétante. Mais sa bonne volonté était telle que nul ne douta qu'il maîtriserait les commandes du véhicule après quelques jours d'entraînement. Or, celui que tous dénommaient El Msili se révéla bien incapable, au bout de plusieurs semaines, de manœuvrer correctement son engin. Le chef de service, indécis, renouvela sa période d'essai réglementaire, puis accepta de le confirmer, lassé par ses jérémiades et ses protestations de dévouement.

Un jour, on vit El Msili revenir à pied à l'hôpital. Il venait d'écraser le nez de son ambulance contre un arbre. Après le mois de farniente que dura la réparation, reprenant possession du volant, il se dépêcha de heurter un policier. Il fallut lui retirer le véhicule. Conscient de ses droits, il refusa tous les nouveaux postes qu'on voulut lui confier, préférant passer ses journées à errer le long des allées de l'hôpital. Il cessa de proposer son concours à qui que ce fût. On ne pouvait plus désormais requérir son aide sans l'entendre se récrier et exciper de sa qualité de chauffeur. Il repoussa même l'idée de seconder son frère.

Il se mit à militer au Parti, convaincu qu'il s'engageait dans une voie royale. Grâce à son assiduité et à ses diatribes lors des assemblées générales, il fut élu au bureau de la section, il obtint même un appartement, brûlant la politesse à des dizaines de médecins qui attendaient depuis plusieurs années d'être logés. Il se sut désormais intouchable et prenait plaisir à tenir la dragée haute aux professeurs et jusqu'au directeur de l'hôpital dont il ne cessait de dénoncer le népotisme.

Quelques années plus tard, sentant tourner le vent, il se laissa pousser la barbe et se lança dans un nouveau prosélytisme. Abandonnant la cause des prolétaires, il épousa celle d'Allah. Il échangea son pantalon contre un qamis. Il renia ses rudiments de la vulgate marxiste pour entonner les versets divins. La mosquée devint son port d'attache.

La violence de ses propos faisait frémir ses propres compagnons. El Msili semblait animé par une haine ravageuse qui n'épargnait pas même ses enfants. Il terrorisait sa femme qui devait souvent aller soigner son visage tuméfié. Une furieuse rossée rendit débile sa benjamine. Son fils aîné, âgé de dix-sept ans, pour avoir souvent été agressé durant son sommeil, ne dormait qu'avec un couteau à portée de main.

– Allons prendre un café, proposa Meziane.

Les deux hommes quittèrent le pavillon et remontèrent l'allée centrale en direction de la roulotte qui servait de cafétéria. Une ambiance inaccoutumée régnait dans l'hôpital. D'habitude aussi bruyant qu'une volière, il semblait ce matin-là frappé d'un sortilège. Les êtres dérivaient lentement, comme des somnambules aux regards vides. Ils se croisaient sans se saluer, se côtoyaient sans se reconnaître. Les femmes de ménage, d'ordinaire si criardes, étaient frappées d'aphasie. Les moineaux avaient déserté les ficus. On attendait l'apocalypse.

Le professeur Meziane paraissait encore plus affecté.

– Mon cher Kader, déclara-t-il à son assistant, je vais te jouer un mauvais tour. Tu vas devoir assurer l'intérim du service durant deux ou trois semaines. Cela tombe très mal, je le sais, mais mon excellent collègue, le professeur Allel, estime que mon opération ne peut plus attendre.

Kader ignorait tout de l'affaire.

– Une opération? Vous ne m'en avez jamais parlé.

– C'est toujours ridicule, un médecin malade. Songe aux sarcasmes qu'on aurait proférés dans mon dos.

Kader trouva bien amère la dernière gorgée du café qu'il avala.

– De quoi souffrez-vous?
– De la maladie de Crone. Une saloperie qui vous ronge les intestins petit à petit. Incurable, elle passe de crises en rémissions. Une partie de mon boyau est foutue. Mon confrère juge qu'il faut couper ce bout-là.

Kader leva son visage vers le ciel qui restait d'une sérénité insultante. Il aurait souhaité le tonnerre et la foudre, le déluge et le raz de marée, le feu et la lave.

Kader, en apercevant Louisa qui houspillait le portier installé dans son bureau, faillit lui sauter au cou mais réfréna son élan et lui saisit le coude pour l'entraîner dans le couloir.

Soudain calmée, elle offrit au médecin un sourire qui le réconcilia avec le monde. Il se prit à rêver. Il se dit qu'en d'autres temps, d'autres lieux... Il aurait aimé la rencontrer au bord de la mer, dans une de ces îles qui ont l'été pour unique saison, dispensant ainsi de tout souci leurs habitants. Il aurait aimé lui demander de peupler ses fantasmes.

Louisa au matin blanc, bousculée par la vague. Rieuse, elle court sur le sable. Elle est si loin. Il l'attend depuis une éternité. Elle fait mine d'ignorer son impatience d'amant frustré de sa peau au goût de sel. Il n'a pas la force de la poursuivre. Il a les jarrets coupés.

Il se força à chasser de son esprit cette image

incongrue. Mais non, se dit-il, nous n'irons nulle part. Nous voici condamnés à affronter l'adversité sur les lieux mêmes de notre enfance. Nous souffrons à l'endroit où nous riions, comme s'il nous fallait payer le prix de notre insouciance d'autrefois. Meurtris au plus intime de nous-mêmes, nous voici transformés en histrions qui s'épuisent en mimiques dans le but de cacher leur peine.

Il dut annoncer à Louisa, sur un ton très officiel, qu'en raison des événements survenus, il se voyait obligé de surseoir à son entrée en fonctions.

La jeune fille fut prompte à retrouver sa fureur.

– Qu'est-ce que cela signifie ? Vous étiez d'accord. Pourquoi avez-vous changé d'avis ? Je veux voir le professeur Meziane.

– Le professeur Meziane est en congé.

Kader eut envie de lui conseiller de fuir au plus vite ce monde invivable et de retourner à Paris s'extasier au spectacle d'une troupe de théâtre amateur. Elle pourrait de nouveau faire semblant de rater son métro pour passer une partie de la nuit en compagnie d'un garçon.

Il n'eut d'autre ressource que de lui tourner le dos.

El Msili contemplait Kader avec une tranquille assurance. Sa nouvelle autorité avait atténué sa hargne coutumière. Les muscles de son visage s'étaient détendus, lui conférant une réelle sérénité.

Il exigeait de prendre connaissance des dossiers des malades. Le médecin ne put s'empêcher de ricaner :

– Vous savez lire ?

El Msili ignora la question sarcastique. Il attendait la réponse. Kader lui fit valoir que les documents étaient confidentiels et que seuls les médecins traitants pouvaient y accéder. Mais l'ancien ambulancier repoussa cette objection d'un revers de la main.

– Il faut que vous sachiez que beaucoup de choses vont changer ici et dans tout le pays. L'ère du laxisme est terminée. Pour votre propre bien, je vous recommande d'en prendre acte.

– Pourquoi voulez-vous les consulter ? Vous n'y comprendrez rien.

– C'est notre affaire.

Kader ne put s'empêcher de frissonner face à la froide détermination de son interlocuteur. Il crut déceler une lueur mortelle dans ses yeux.

Le jeune homme songea d'abord au portier du pavillon qui aurait pu suggérer à son acolyte de subtiliser les rapports détaillant ses méfaits.

– Nous savons que vous recevez des dévergondées qui viennent ici se soulager du produit de leurs fornications.

Le regard désespéré de Kader buta contre le plafond lézardé. Il s'interrogeait sur la nature du nouvel ordre que ces hommes se proposaient d'instaurer. Le service avait en effet toujours accueilli les jeunes mères célibataires. Il refusait de divulguer leur situation afin qu'elles ne fussent pas en butte au mépris de leurs voisines de lit formellement dotées d'un mâle. Une très ancienne circulaire gouvernementale l'autorisait. Kader eut envie de répliquer à son interlocuteur que cette pratique était légale, mais il devina que l'homme qui se tenait devant lui se fichait éperdument des lois qui régissaient le fonctionnement de l'hôpital et même du pays. Kader était surtout choqué par l'absence de miséricorde de ces hommes qui s'étaient institués vicaires de Dieu. Il faillit demander avec insolence à El Msili s'il envisageait de jeter à la rue les femmes non mariées. Mais il lut dans le regard de l'ancien ambulancier qu'il le ferait sans le moindre état d'âme. Il eut la conviction que le Prophète aurait été le premier à renier ses nouveaux émules.

En quittant le pavillon, Kader eut l'impression qu'il émergeait d'un long tunnel.

Assise sur une bordure en ciment, Louisa attendait. Il soupira ostensiblement, comme s'il regrettait de la retrouver. Mais il se rendit bien compte qu'à sa vue ses poumons se dilataient. Il feignit toutefois d'être contrarié.

– Vous êtes encore là ?

– Je reviendrai ici tous les jours, du matin au soir, jusqu'à ce que vous acceptiez de m'embaucher.

Il fut heureux de succomber.

– C'est bon, lui dit-il, vous commencerez demain.

Un bruit de pas précipités force Kader à se retourner. Louisa veut rentrer chez elle, mais ne sait où se trouve la plus proche station de métro.

Kader n'a pas pu s'empêcher de pouffer de rire. Louisa vient de remporter sa première victoire.

– A cinquante mètres d'ici. Mais le premier train n'est pas encore arrivé. Il sera là dans vingt ans, lorsqu'on aura achevé de creuser le tunnel.

– Il faudra donc que je rentre à pied. Je connais mal la ville.

Ils sont là tous les deux, à marcher comme si de rien n'était. Pourtant ils se surveillent comme des ennemis prêts à se prendre à la gorge. Attentifs l'un à l'autre, ils ne cessent de se guetter. S'il fait mine d'admirer un monument, elle suit son regard. Elle sourit sans motif, et le voilà qui se met à fredonner un air guilleret. Il fronce les sourcils, et son visage à elle se rembrunit. Elle parle, il observe le mouvement de ses lèvres. Il se gratte la joue, elle note qu'il ne s'est pas rasé ce matin. Elle plonge une main dans sa poche, en retire un briquet et commence à le caresser. Elle n'ose sortir une cigarette. Il sait qu'elle a envie de fumer, mais refuse d'allonger le pas. Il fixe ses souliers, comme s'il venait de découvrir leur couleur. Elle contemple le ciel qui s'assombrit.

Ils sont seuls dans la rue.

Il croit humer une odeur de jasmin. Il se sent désemparé et même ridicule. Il n'a rien à dire. Il se contente de relever les épaules pour se donner une allure d'ours. Elle décide d'extirper de sa poche le paquet de cigarettes. Il n'a rien vu. Il arrache au passage une tige de romarin qu'il hume longuement. Assis sur un banc public, un ivrogne lui tend la main. Il lui glisse une pièce à l'insu de Louisa. Il aurait aimé le remercier. Au bonheur qu'il éprouve, il se sent le devoir de payer sa dîme. Il n'ignore pas que les orangers qui bordent la rue ne donnent que des fruits amers. Mais il finit par cueillir l'un d'eux, d'un geste négligent, comme on le fait au cinéma. Il palpe longuement la grosse balle de cricket. Il ne résiste pas au plaisir de l'envoyer vers un gosse qui vient de les croiser.

Kader craint d'arriver au bout de la rue. Il ralentit le pas. Il aurait aimé lui raconter une histoire, mais ne se résout pas à rompre leur silence complice. Il choisit d'esquisser un vague geste comme pour lui dire l'indicible.

Il n'aime pas cette rue. Elle n'est pas assez longue à son goût. Elle débouchera sur une séparation. Il essaie de biaiser. Avec une infinie douceur, il lui saisit le coude pour l'aider à traverser. Les automobilistes qui foncent sur eux lui permettent de remonter sa main vers l'aisselle, pour mieux la guider. Il tarde à desserrer son étreinte. Consentante, elle a légèrement soulevé son bras, en offrande. Aveugle et sourd, il est tout entier au bout de la pulpe de ses doigts. Il éprouve la douceur veloutée de sa peau. Des frissons soyeux parcourent son corps. Il lève les yeux au ciel pour un tacite remerciement. Et puis, avec un infini regret, sa main lentement se retire. Il ne sait que faire de sa paume orpheline.

Sa démarche devient maladroite et il prend plaisir à la frôler de l'épaule. Elle ne semble pas éviter le contact. Chaque heurt l'incite à raccourcir ses enjambées.

L'euphorie le gagne. Il se surprend à chantonner. Il est adolescent. Il s'accroupit pour relacer ses souliers. Elle l'attend avec patience. Il ébauche des gestes qu'il s'interdit d'accomplir. Il a envie de lui relever la mèche qui barre son front. Il revient sur ses pas pour acheter un journal. Elle le suit. Il feint de s'absorber dans la lecture des titres de la première page tandis qu'elle penche la tête au-dessus de son épaule, laissant négligemment ses cheveux lui chatouiller le cou. Il la pousse à regagner l'autre trottoir afin de palper de nouveau son tendre biceps. Ses phalanges éprouvent la naissance du sein. Elle a envie d'acheter un paquet de cigarettes. C'est bien volontiers qu'il l'accompagne.

Mais non, ils n'arriveront jamais au bout de la rue. Et brusquement Kader se sent fort. Il a désormais le courage d'affronter les barbares.

Il quitte Louisa sans même un signe d'adieu.

8

En ouvrant la porte, Si Morice découvrit Palsec debout sur le palier, entouré de plusieurs cartons. Le garçon lui expliqua qu'il trimbalait le butin de sa razzia nocturne. Comme il ne disposait d'aucun endroit pour entreposer ces provisions, il avait pensé que Si Morice ne refuserait pas de lui céder un placard.

– En contrepartie, je t'autorise à y puiser modérément.

– Sache que ma porte n'est jamais fermée à clé. Tu pourras venir à tout moment.

Si Morice était inquiet. Malgré la chaleur, il refusait d'ôter sa kachabia. Il voulait partir à la recherche de Saïd. Il proposa à Palsec de l'accompagner.

Il aperçut le routier en train de bichonner son camion tandis que Rabah somnolait, adossé à une roue.

– Dieu sait ce qui nous attend avec la nuit qui tombe. Il va sans doute y avoir encore du grabuge. Avec l'âge, mes poumons sont devenus délicats. Il serait regrettable que la fumée des grenades m'étouffe sans que j'aie eu le temps de vous terminer le récit de mes exploits.

En fait, il craignait surtout de rester seul.

– Je t'accueillerais volontiers dans ma remorque, lui proposa Saïd. Tu verras, c'est confortable. En cas de baroud, on aura toujours la ressource de se réfugier plus loin.

– Vraiment?

– Viens voir. C'est très pratique.

– Et Kader?

– Je vais prévenir sa mère afin qu'il nous rejoigne dès son retour.

Saïd aida Si Morice à se hisser sur le plateau. Anxieux, le vieil homme osa quelques pas.

– Mais elle est toute nue. On ne va pas dormir sur la tôle! Ma vieille carcasse n'y résisterait pas.

– On peut l'aménager.

– Il est nécessaire de fermer les portes?

– Ce serait plus prudent, répondit Saïd.

– Je ne supporte pas le noir.

Saïd lui désigna du doigt les trois lampes du plafond.

– Tu crois qu'on pourra respirer?

– Le fabricant a tout prévu. Voici les bouches d'aération.

– Je ne suis pas rassuré.

– Tu as tort. C'est commode.

Palsec fut chargé de rapporter quelques affaires de l'appartement de Si Morice. Il commença par disposer les matelas mousse. Si Morice l'interpella :

– Tu n'as pas oublié la radio?

Le garçon haussa les épaules. Si Morice, déjà étendu, le désignant de sa canne, dit à ses compagnons :

– C'est mon fils. Je l'ai adopté parce qu'il a beaucoup de sens pratique. A ma mort, il héritera de ma pipe et de ma propension éthylique.

– J'ai déjà goûté à l'herbe et à l'alcool, et je n'aime ni l'une ni l'autre.

– Tu y viendras avec l'âge. Mais où est Kader?

Le médecin les retrouva une heure plus tard, au coucher du soleil. Palsec était en train de s'activer sur un antique réchaud à pétrole.

– Où as-tu déniché cet appareil? lui demanda Si Morice.

– Dans un placard de ton appartement.

– Incroyable.

– Tu ne le sais pas, mais tu habites la caverne d'Ali Baba.

Le garçon leur annonça qu'il allait leur préparer des spaghettis succulents malgré ses moyens de fortune.

– Tu peux constater, vieil homme, que j'ai eu raison, la nuit dernière, de faire un détour par le supermarché.

– Commence par m'apporter la radio. Je veux écouter les stations étrangères. C'est le seul moyen de savoir ce qui se passe à deux pas d'ici.

Si Morice retrouvait ses aises. Il adressa un regard suppliant à Saïd. Ce dernier sortit. Il reparut quelques minutes plus tard, brandissant une bouteille de whisky.

– Je connais tes exigences. Mais comme je ne suis qu'un apprenti magicien, je n'ai pu te fabriquer des glaçons.

Allongé sur son matelas, entouré d'amis, sa boisson favorite à portée de la main, une longue nuit de veille en perspective, Si Morice s'estima comblé.

– Que va-t-il encore se passer? s'inquiéta Kader. Dieu ait pitié de nous!

– Dieu est miséricordieux, mais les hommes ne le sont guère. De toute façon, nous avons les moyens de nous défendre.

En réponse au regard interrogatif de Saïd, Si Morice, avec un sourire faraud, extirpa la mitraillette enfouie sous sa kachabia.

– Tu aurais dû la confier à un musée, lui lança Saïd.

– Elle fut le seul compagnon à qui je faisais confiance, lorsque j'étais là-haut, dans la montagne. Cette arme ne s'est pas enrayée une seule fois. C'est vous dire combien elle me fut précieuse.

Si Morice était ravi de se trouver face à un auditoire captif.

– Si je suis toujours vivant, c'est grâce à elle.

Recroquevillé dans un coin, Rabah faisait mine

de dormir. Palsec surveillait la cuisson de ses pâtes. Saïd et Kader se concertaient à voix basse.

A la fin du conciliabule, le routier se redressa en jubilant. Il affecta un ton solennel pour annoncer à ses compagnons qu'il allait sous peu emmener Kader en virée.

– Mais je veux bien attendre que vous ayez fini de dîner.

Recouvrant sa véhémence, Si Morice exigea d'être informé et repoussa le verre qu'il venait de se servir. Saïd ne résista pas au plaisir de le mettre au courant.

– Quelle belle idée! Bien entendu, je suis des vôtres. Je saurai vous protéger, ajouta-t-il en caressant son arme.

D'un revers de la main, il refusa le plat que lui offrait Palsec.

– Nous avons autre chose à faire.

Il se releva prestement. Il exultait. Il avait le sentiment de renouer avec les années de feu. C'était lui qui, soudain impatient, les pressait de partir.

Tous les habitants de la remorque tinrent à participer à l'expédition. Le camion pénétra dans l'hôpital au moment précis où le muezzin appelait à la prière du crépuscule. Les nouveaux cerbères avaient déserté les pavillons pour rejoindre la mosquée.

Le déménagement fut mené tambour battant. Le véhicule regagna sa place une demi-heure plus tard. Si Morice était euphorique. Cela ne manqua pas de le mettre en verve.

– J'ai le sentiment, mon cher Kader, que tu viens de faire une bêtise. Cela me réjouit. Autrefois, je n'en ratais pas une.

Après la dissolution de sa compagnie, Si Morice s'était retrouvé en zone frontalière, chargé d'assurer, à travers la ligne électrifiée, l'acheminement d'armes et de matériel venant du pays voisin.

– Le réseau barbelé était d'une diabolique perfection. Il se montrait sensible à la traversée d'un lièvre fuyant un prédateur. Au moindre frisson, les canons électroniques entraient en fureur tandis que s'envolaient les hélicoptères et que se mettait en marche la draisine blindée. C'était un vrai régal. Je me suis beaucoup amusé.

Il aimait détruire, affirmait-il, et il s'en donnait à cœur joie.

– Il m'arrivait souvent de provoquer l'apocalypse juste pour pouvoir lire l'heure à ma montre.

Chaque jour, il s'ingéniait à inventer des astuces pour démanteler le barrage. Lorsqu'il s'ennuyait, il rabattait vers la ligne un hargneux sanglier qui, empêtré parmi les fils, déclenchait un magnifique spectacle.

– J'ai mené la vie dure aux postes de garde de

mon secteur. C'est depuis lors que je suis devenu noctambule.

Sa barbe de prophète frémissait de plaisir à l'évocation de ces belles joies du temps de guerre. L'affaire se mua en duel entre l'ingénieur qui contrôlait le réseau et Si Morice qui ne cessait de chercher à déceler ses insuffisances.

– Comme j'avais l'avantage, je lui fis quelques faveurs. Le premier fil sectionné semait l'émoi. Inutile alarme. Je ne faisais que le tester. Je dois reconnaître que mon lointain adversaire réagissait bien. Il comprit très vite qu'un seul fil rompu ne pouvait ouvrir la voie. Il se corrigea.

Le spécialiste affinait de jour en jour son système. Il tripla la tension électrique. Si Morice dut se procurer des cisailles aux manches mieux isolés. Les tirs des canons se firent plus précis. Le maquisard utilisa les accidents de terrain pour échapper aux radars. Les draisines se montraient plus promptes à se rendre sur les lieux. Il usa d'artifices pour les leurrer.

Mais le démoniaque expert eut l'idée de construire des lignes secondaires, en forme de V ouvert sur le premier barrage et formant nasse. Elles conduisaient inévitablement vers leur angle les rescapés de la première ligne. Là, les hélicoptères les attendaient.

– Je me suis rendu compte par la suite qu'en titillant l'orgueil de cet ingénieur, je n'avais fait que servir de cobaye inespéré. Les passages que j'organisais se transformèrent en hécatombes. Neuf personnes sur dix y laissaient la vie.

Si Morice hocha la tête, ignorant le plat que venait de lui servir Palsec. Ses souvenirs le sustentaient assez. Seule l'intéressait la bouteille à peine entamée.

– Un jour, poursuivit-il, on est venu me prévenir que je devais me préparer à frayer une voie à deux importants personnages. L'envoyé a insisté pour que je prenne toutes les précautions. J'avais omis de lui demander dans quel sens se faisait le passage. Ce n'est qu'au dernier moment que je compris que nos pontes voulaient se tailler afin de rejoindre les cieux plus cléments du pays voisin.

Posté sur un rocher, Si Morice avait surveillé l'approche du groupe. Les responsables portaient des costumes sous leurs kachabias empruntées. Les deux maquisards qui les accompagnaient les traitaient avec une crainte respectueuse. Si Morice n'avait pas daigné descendre du promontoire qu'il avait choisi. Il les contempla longtemps du haut de son observatoire.

– Salut! laissa-t-il tomber enfin.

Il quitta son perchoir.

– Voulez-vous un peu de thé?

– Nous sommes pressés, lui fit remarquer un grand moustachu.

– C'est un tort. Dites-vous bien que vous êtes là pour quelques jours. Aussi, je suis heureux de vous offrir l'hospitalité de mon palais. J'espère seulement que vos besaces contiennent assez de figues sèches car, moi, je partage la pitance des sangliers. Je ne me nourris plus que de glands.

Il leur tourna aussitôt le dos. Quelques minutes plus tard, les quatre hommes le rejoignirent dans la grotte. Si Morice était en train d'allumer un brasero. Le courtaud s'assit en face de lui en affirmant qu'il aimait bien le thé. Son sourire tentait d'amadouer le passeur dont les gestes brusques trahissaient l'irritation. Promenant son regard autour de lui, il hocha la tête avec une satisfaction affectée.

– Ta résidence n'est pas si mal.

La cote de fureur de Si Morice monta d'un cran.

– Je l'échangerais bien contre la vôtre.

– Je m'appelle Belkacem. J'ai surtout habité les caves de certaines villas spéciales. Elles sont dotées d'appareils très sophistiqués. Mon corps porte encore les traces des exercices auxquels on m'y a soumis. J'ai aussi été hébergé à Lambeze, couloir des condamnés à mort.

Si Morice se rendit compte qu'il s'était trompé sur le personnage. Sa colère s'apaisa et il observa le petit bonhomme avec une considération nouvelle. Sur un ton soudain grave, il lui demanda si leur passage était indispensable.

– Je le pense, lui répondit son interlocuteur. Pourquoi cette question?

– Il faut que vous sachiez que cette opération coûtera plusieurs vies humaines.

– Expliquez-moi.

Ayant vidé leur verre, les deux hommes quittèrent la grotte pour s'installer sur le piton préféré de Si Morice. C'était le crépuscule. On entendait les derniers pépiements des oiseaux. La forêt s'ouvrait à la faune nocturne.

Si Morice leva le bras vers le barrage dont le nom devait lui rester.

– Elle est là-bas, la « ligne Morice », à deux kilomètres. Elle est si sophistiquée que beaucoup d'animaux ne parviennent plus à la traverser. Ils sont devenus étrangers à leurs voisins. Les loups algériens ne peuvent plus rencontrer leurs frères tunisiens pour former leurs hordes. Même les renards, en dépit de la souplesse de leur échine, se font accrocher. En revanche, les lièvres y trouvent leur compte. Lorsqu'ils sont poursuivis, c'est toujours vers les barbelés qu'ils se dirigent. Le no man's land fourmille de terriers. C'est ce qui me permet de ne pas mourir de faim.

Le visiteur scruta l'horizon, tentant de distinguer la fameuse barrière.

– Inutile de vous obstiner, vous ne verrez rien.

Le compagnon de Si Morice restait silencieux mais attentif.

– Il nous faudra trois commandos pour cisailler les fils en divers endroits afin de créer des diversions pour que les canons, atteints de bougeotte, ne sachent plus où donner de la gueule. Ils s'en sortiront avec deux ou trois morts. Notre groupe sera composé d'une quinzaine de personnes. Au plus fort du feu d'artifice, nous pousserons les mulets qui vous ont transportés vers la ligne, dans l'espoir qu'ils fassent exploser le plus grand nombre de mines avant d'être réduits en lambeaux. Vous veillerez à marcher sur leurs traces. Bien sûr, vous suivrez en dernier. Sur ces cinquante mètres, un ou deux hommes nous abandonneront. Membres emportés ou corps déchiqueté, il s'agira de ne pas se laisser distraire par leurs râles lancinants et de continuer à courir. On pourra shunter une vingtaine des fils à sectionner, mais guère plus. Après, les autres coups de cisailles déclencheront le tonnerre des canons. La précision de leurs tirs est redoutable. Sous les barbelés, d'autres mines sont tapies. Plusieurs de ceux qui ramperont en tête sauteront avec elles. Il faudra par la suite se mettre à courir éperdument afin d'échapper au feu de la draisine, car les fusées éclairantes nous feront une nuit plus aveuglante que le soleil de midi. Si nous en réchappons, nous ne manquerons pas de nous retrouver pris dans la nasse de la ligne secondaire. Je jouerai à nouveau des cisailles. C'est moins risqué. Avec la distance, les obus perdent en précision. Ce barrage ne sert en fait qu'à nous retarder. Commenceront alors les choses sérieuses. Nous serons épuisés, alors qu'il faudra accélérer l'allure. Les maquisards qui nous accompagneront sont capables de soutenir un tel rythme. Pas vous. Nous aurons à vous attendre. Et tout près de la frontière salvatrice, nous guetterons les parachutistes débarqués par hélicoptères. Les survivants devront les affronter dans l'espoir de favoriser votre fuite. Au terme de la traversée, on ne comptera que quelques miraculés.

Le petit homme resta silencieux durant un long moment.

– Mon compagnon et moi avons pour mandat de réclamer auprès de nos dirigeants installés à Tunis plus d'armes et d'hommes. Nos maquis étouffent sous la pression de l'armée française.

– Par où les faire transiter?

– Justement, je sais que la Chine nous a offert des engins capables de faire sauter la ligne. Où sont-ils stockés? Qu'attend-on pour nous les livrer? Nos responsables d'au-delà des frontières s'adonnent à des manœuvres qui ne nous plaisent guère. Nous devons clarifier cette situation.

Si Morice songea qu'avec de tels instruments, le jeu deviendrait moins excitant.

– Je crois que votre mission vaut quelques sacrifices. Nous partirons après-demain. Mais je dois vous prévenir.

– De quoi?

– Lorsque les canons se mettront à rugir, que les fusées illumineront la forêt, que grondera la draisine, que le ciel s'animera d'une nuée d'hélicos, une peur, une peur panique comprimera la poitrine de la plupart des hommes, coupera leurs jarrets et ils s'abattront sur le sol, incapables du moindre mouvement, pitoyables mais encore saufs. Ils mourront à l'endroit où ils seront tombés.

– Que me conseillez-vous?

– J'ai encore quelques grammes de kif. Je vous offrirai deux cigarettes avant le départ. Vous verrez, l'équipée vous semblera une partie de plaisir.

Si Morice observa une pause afin d'apprécier l'intérêt de ses auditeurs. Son plat s'était refroidi, mais le contenu de la bouteille avait sensiblement baissé. D'un vif signe de tête, Saïd l'encouragea à continuer.

– Les pétards chinois espérés ne sont jamais arrivés. Vint le temps des vaches maigres. Les passages devinrent de plus en plus rares. Je m'ennuyais ferme. Je consacrais mes journées à braconner ou à rêver. J'avais même commencé à prendre du poids.

Peu à peu, le projet prit forme dans l'esprit de Si Morice. Sans réelle conviction, il rédigea la lettre, mais la laissa traîner plusieurs jours dans son repaire rocheux. Puis il se résolut à aller la remettre au garde forestier qui lui servait de fournisseur et de coursier afin qu'il la postât lors de sa prochaine descente en ville. L'homme des bois servait de correspondant aux maquisards, mais il était soupçonné d'être aussi un indicateur de l'armée française.

Si Morice le quitta après lui avoir vidé sa réserve de vin rouge. Il se demandait s'il allait poster l'enveloppe ou la remettre à l'une des parties qu'il renseignait.

Trois mois plus tard, l'homme des bois faisait irruption dans l'antre de Si Morice, le capuchon de sa kachabia lesté de deux bouteilles à long cou.

– Les journées sont calmes? demanda-t-il en guise de préambule.

– Plus mornes qu'une vie sans amour.

Le visiteur déboucha la première bouteille et la tendit à son hôte.

– J'ai oublié les verres, lui précisa-t-il.

– On s'en passera.

Ils burent en silence, puis le commissionnaire se leva en annonçant que le colis était arrivé. Il ajouta que, comme il était fort encombrant, il ne pouvait le garder longtemps.

– De plus, ma cave n'est pas inépuisable. Quand viens-tu en prendre livraison?

– Cette nuit même.

En poussant la porte de la cabane, Si Morice avait vu, de part et d'autre d'une immense table, deux têtes dodelinantes séparées par une épaisse haie de bouteilles vides. Lorsqu'elle l'aperçut, Jo se leva avec une vivacité surprenante et courut se pendre à son cou. Elle laissa la barbe naissante du maquisard herser longuement ses joues. Puis elle se détacha de Si Morice pour mieux le contempler.

– Dis donc, tu as l'allure d'un guérillero.

– Mais j'en suis un.

– Un vrai de vrai?

– Garanti pur fellagha.

– Tu en as la kachabia et la barbe, et tu ressembles à l'image qu'en donnent nos journaux. Mais où est ton arme?

L'homme fit pointer le canon sous l'étoffe de grosse laine de la kachabia.

– Ah! répliqua Jo, déçue. J'avais bien senti quelque chose, mais j'espérais qu'il s'agissait de ton engin de chair.

– Les deux sont prêts à faire feu.

Une lueur de désir fit briller les yeux de Jo. Elle happa la main de Si Morice pour l'entraîner vers un lit situé au fond de la pièce.

– D'impatience, j'ai failli te cocufier avec ce vieil ermite, lui avoua-t-elle.

Afin de passer inaperçue, Jo s'était affublée d'une tenue d'homme. Dès qu'elle eut ôté son turban, la somptueuse cascade de ses cheveux se brisa sur ses épaules. Blondeur de blé à l'heure de la moisson! Un violent désir fit frissonner le corps de Si Morice depuis si longtemps sevré. Mais il eut un regard en direction de leur hôte perdu dans ses limbes éthyliques.

– Suggère-lui d'aller vérifier ses pièges, lui dit Jo.

Kader avait succombé au sommeil. Après l'avoir contemplé avec regret mais tendresse, comme on observe un enfant qui pique du nez et s'endort, Si Morice retrouva son récit et ses montagnes.

En dépit des années passées, Jo n'avait pas changé. Il avait fait sa connaissance à Paris, alors que son mari venait d'être nommé ambassadeur de France à Ottawa. Elle avait refusé de l'accompagner. Née dans le Marais, à une centaine de mètres de la maison de Victor Hugo, elle affirmait qu'elle affectionnait les vieilles maisons et les vieilles pierres et ne pouvait supporter de vivre enfermée dans une cage de verre et d'acier. Si elle appréciait le bel accent de ses cousins d'Amérique, elle estimait que cela ne pouvait justifier un si lointain exil. Le diplomate ne crut pas devoir insister, heureux de laisser l'Océan le séparer des frasques de sa bien singulière épouse. Elle ne manqua pas de lui reprocher son lâche soulagement.

– Cet ingrat avait oublié tous ceux que j'avais acceptés dans mon lit pour favoriser sa carrière. Mon sexe avait pourtant eu bien de l'ouvrage.

Par un petit matin bruineux, voyant un groupe de touristes qui fixaient sur pellicule, morceau par morceau, la façade de Notre-Dame, Jo s'insurgea en les menaçant de son parapluie. Sa main se crispa sur la manche de Si Morice qui traversait le parvis.

– Tu vois ces étrangers qui pillent nos monuments historiques?

Notant son ébriété, Si Morice se dégagea sans ralentir l'allure.

– Bien sûr, lança-t-elle dans son dos, toi l'Arabe, tu ignores ce que représente cette cathédrale. Tu n'as donc jamais lu Victor Hugo?

Il entendit un bruit de talons précipités sur les pavés et se retourna juste à temps pour bloquer le parapluie brandi au-dessus de sa tête.

– Sale colonisé! lui souffla-t-elle dans une bouffée délétère.

Si Morice lui tapota gentiment la joue puis se détourna.

– Si on allait prendre un pot? lui proposa-t-elle soudain.

Elle avait manifestement consacré toute la nuit à cette occupation.

– Désolé, je n'ai pas le temps.

– Et si on allait baiser?

Elle aimait débouler chez lui aux heures les plus impossibles pour lui signifier aussitôt le début des combats. Houleux corps à corps. A marée basse, au reflux du désir, elle l'assaillait de projets saugrenus. Ce fut sur ses instances qu'il abandonna de nouveau ses cours pour lui faire visiter les plus célèbres bordels d'Oranie. Ils connurent les chanteuses de raï qui s'y produisaient et prirent part aux interminables libations qui suivaient chaque récital. Jo acceptait de temps à autre de remplacer une pensionnaire afin d'éteindre la lueur lubrique qui enfiévrait le regard de quelque vigoureux maquignon séduit

par son teint de dune du désert au soleil couchant.
– C'était une période de folie, précisa Si Morice comme pour se justifier. Nous étions nombreux à nous complaire dans la luxure et la débauche, dans l'inconscient désir de nier l'impasse promise à notre sort de colonisés. Les fils de l'aristocratie algérienne préféraient rouler sous la table plutôt que de continuer à remâcher leur amertume. Nos nausées du matin n'étaient pas uniquement dues à l'abus de vin.

Rhabillée, Jo avait couvé Si Morice d'un regard admiratif.
– Tu n'as rien perdu de ta vigueur d'antan.
– Ici, on n'a guère l'occasion de se livrer à ce type de bataille. Que devient ton digne époux?
Jo estima qu'il était en disgrâce, faute sans doute d'avoir trouvé une remplaçante d'égale ardeur.
– Il représente notre vaillant pays, et encore officiellement le tien, auprès d'une vague dictature asiatique.
Ils se contemplèrent à loisir, chacun étonné de constater les ravages du temps sur le visage de l'autre.
– Ainsi tu fais partie de ces rebelles que nos troupes abattent chaque jour par colonnes entières de journaux?
– Pour te servir.

– J'y compte.

Jo le criblait de questions.

– C'est dangereux? Vous vous battez souvent? Avec de vraies balles? Comme dans les films? Je pourrais voir ça? Tu vas m'emmener?

Si Morice lui affirma que sa grotte était presque aussi confortable que son douillet nid du Marais.

– Tes hommes dorment aussi là-bas? Cela fait combien de temps qu'ils n'ont pas approché une femme? Ce sera très excitant.

– Il n'y a personne avec moi.

Jo ne comprenait pas qu'un commandant de compagnie pût vivre loin de ses hommes. En apprenant qu'il n'était ni capitaine ni même chef de groupe, elle lui sourit, intriguée mais confiante.

– Tu m'expliqueras en chemin.

– Partons. Il y a un vigoureux mulet qui attend la caresse de tes tendres jambes contre ses flancs.

Après avoir ramassé ses affaires, Jo offrit au garde forestier, qui se tenait devant la porte, un baiser humide et prometteur. Elle trouva très voluptueux le voyage à dos de mulet. Elle avoua à son guide qu'elle s'ennuyait beaucoup à Paris, déserté de ses mâles les plus ardents, les plus virils des colonisateurs et colonisés étant partis s'entre-tuer dans les montagnes algériennes.

– En revanche, Alger grouille de beaux parachutistes. Ils sont forts, bronzés et brutaux. J'ai failli succomber à nombre d'entre eux. Mais le mentor que tu m'as envoyé s'est montré intransigeant. D'ailleurs, lui non plus n'était pas repoussant. J'ai été aussi sensible à ses yeux qu'à ses manières expéditives. Mais il avait la foi du charbonnier. Pas un moment, en cours de route, il n'a posé sa main sur mon genou qui taquinait le sien.

Après trois jours de réclusion dans la grotte, la déception de Jo devint manifeste.

– Je ne comprends rien à votre affaire. Où se passe-t-elle, votre guerre? Les accrochages, les embuscades, les avions qui bombardent, les hélicos qui vrombissent, les chars qui grondent, les mechtas qui brûlent, le feu et le sang, toutes ces images qu'on voit aux actualités, c'est de la frime? Vous vous faites des politesses? Messieurs les Arabes, tirez les premiers? En fait, en venant te rejoindre, j'ai couru plus de risques que toi qui vis planqué dans cette tanière avec des sangliers pour tous voisins.

– Tu sais, au maquis comme à l'usine, il y a une division des tâches. A chacun son rôle.

– Quel est le tien?

Si Morice essaya de lui démontrer l'importance stratégique de sa fonction. De ce brusque mouvement de tête qui lui était familier, elle éparpilla ses cheveux sur son épaule gauche, avant de lui faire remarquer que dans les compagnies aériennes il y avait aussi une répartition des tâches, mais que le prestige du vidangeur de latrines n'atteindrait jamais celui du commandant de bord.

Bien entendu, la présence de Jo ne resta pas secrète.

– Sans doute grâce aux bons offices du garde forestier, supputa Si Morice.

Son chef de secteur le convoqua pour lui ordonner de se séparer de cette... catin. Près du commandant se tenait son âme damnée, l'Albinos, hilare comme de coutume. Il savourait chaque mot de la réprimande

– Il faut qu'elle parte. Qu'on ait vent de sa présence, et on nous accusera de la retenir en otage.

Si Morice lui rit au nez. Il avait bien conscience que les hommes de la compagnie étaient comme des poissons dans un bocal d'eau croupie où l'oxygène ne cessait de diminuer, et qu'il était seul à pouvoir leur fournir de temps à autre quelques bulles d'air en permettant l'acheminement d'armes et de munitions.

– Si tu n'obéis pas, je lui enverrai l'Albinos. Il saura la faire déguerpir.

L'ennui croissant de Jo rendait chaque jour ses répliques plus acerbes. Attaquant sans appétit une cuisse de lièvre rôti, elle déclara à son compagnon :

– Je constate que vous vous en prenez plus au gibier qu'aux soldats. C'est la faune de la forêt et non l'armée que vous êtes en train de décimer!

Si Morice se redressa pour remplir à nouveau son verre. Il eut le plaisir de voir que Saïd et Rabah gardaient les yeux ouverts.

– Peu de temps après, je reçus la visite de l'Albinos. Comme tous ceux de sa race, il avait des yeux rouges effrayants. Il était le double chthonien du commandant, cerbère muet et rigolard, confident, exécuteur des sales besognes, seul messager digne de confiance, sentinelle impavide veillant sur le sommeil du maître. Il ne cessait jamais de sourire, l'Albinos. En mangeant, en parlant, en dormant, en tuant, tout comme j'étais sûr qu'il expirerait en souriant. Il m'a surpris un matin au sortir de mon repaire. Je croyais que seul le garde forestier savait où je nichais.

Les yeux sanguins, d'une extraordinaire mobilité, détaillèrent Si Morice avec une menaçante insistance.

– Qu'est-ce que tu veux?

– La fille est toujours avec toi?

L'inquiétude du troglodyte accrut l'hilarité de l'Albinos qui releva le canon de sa mitraillette d'un geste négligent.

Si Morice colla son dos contre le rocher, regrettant l'absence de son arme abandonnée dans l'abri.

– J'ai bien cru que le bloc de schiste serait mon mur de fusillé. Toute révolution est puritaine. Nos chefs ne badinaient pas avec la chose sexuelle. Nombre de combattants émérites ont été trucidés pour n'avoir pas su résister aux charmes d'une avenante maquisarde ou à la trouble attirance d'un éphèbe révolté.

Mais l'arme repiqua du nez et le visiteur, la mine réjouie, déclara :

– Tu peux te rassurer, je n'ai pas encore reçu l'ordre de te liquider. Ce jour-là, qui ne saurait tarder à mon avis, tu n'auras même pas le temps de déceler le léger haussement de mes blancs sourcils. Tu m'offres un café?

– Désolé, mais, en ces temps difficiles, ce produit est devenu aussi rare que vos grandes embuscades.

– Dans ce cas, je me contenterai de ma chique. Tu veux une pincée? proposa-t-il en s'asseyant sur une pierre.

– Je croyais que nos chefs avaient prohibé la consommation de tabac?

L'alcool rendait laborieuse l'élocution de Si Morice. Mais son débit retrouva une surprenante vivacité pour stigmatiser les dirigeants du FLN.

– A quoi cela pouvait-il servir, d'interdire aux gens de fumer? Ce n'était certes pas par égard pour leur santé. Ils ne réussirent qu'à inciter les amateurs de nicotine à enfreindre la règle. Ils poussèrent nombre d'entre nous à prendre goût au haschisch. Ce fut mon cas. L'inanité des lois conduit à la perversion ou à l'anarchie. C'est dans le maquis que nos dirigeants acquirent leurs plus mauvaises habitudes. Parvenus à la tête du pays, ils ne firent ensuite que multiplier les bourdes.

Sa fureur évacuée, Si Morice précisa que l'Albinos n'était pas venu à propos de Jo. Il attira l'attention de son interlocuteur sur le camp militaire de l'ALN qui se trouvait juste de l'autre côté de la frontière. Si Morice n'ignorait pas son existence.

– Je me suis souvent demandé pourquoi ils tardaient à venir combler les vides de nos rangs clairsemés.

– Comme, surenchérit l'Albinos, on peut s'interroger sur l'utilité du matériel qu'ils ne cessent d'accumuler. Il y a là-bas quantité de joujoux tchèques encore enduits de leur graisse, des caisses de cartouches à ne plus savoir qui canarder.

La bonne humeur de l'émissaire se révéla contagieuse et Si Morice partit d'un immense éclat de rire.

– Mais ce sont nos frères d'armes, fit-il remarquer.

– On a besoin de munitions, a dit le commandant.

– Et s'ils résistent?

– On a besoin de munitions, répéta l'Albinos.

– Ce sera un superbe scandale, exulta Si Morice.

– Justement, pour l'éviter, le chef veut que nous revêtions des tenues militaires françaises.

– Encore mieux!

– Nos hommes ne sont pas de ton avis. Ils rechignent à porter le képi. Mais ils obéiront. Je voulais savoir s'il était possible de franchir le barrage en si grand nombre.

– C'est mon affaire. Contente-toi de vivre avec ta face rubiconde levée vers le ciel. Dès que tu sentiras s'annoncer un orage, tu ramèneras tes guerriers. Tâche de les choisir plutôt maigres.

– Ils le sont tous devenus. Tu sais bien qu'ils mangent rarement à leur faim.

– Alors à bientôt.

Il ne fut pas difficile à Si Morice de convaincre Jo de s'en aller. Elle n'émit qu'une protestation de principe.

– Pourquoi maintenant ?

– Il va y avoir une grosse opération. Dans quelques jours, on verra ici plus d'hélicoptères que de moustiques.

– Cela vous arrive finalement ?

– Je sais que tu rêves de te pâmer dans les bras d'un homme en tenue léopard. Mais ils tirent de loin, au fusil mitrailleur. Ils risquent de te prendre pour l'un de nous. Mon chef ne veut pas d'un tel incident. Tâche de ne pas coucher avec tous les hommes qui te reconduiront.

– Pourquoi ? Tu es jaloux ?

– Avec toi, ce serait suicidaire. Mais leur atavisme rend étroites leurs idées et violents leurs gestes. Ils te baiseront avec fougue, puis te traiteront de pute. Tu nous feras perdre le respect dû à une épouse de plénipotentiaire et à mes dons de séducteur.

– Tu crois qu'on se reverra un jour?

– Sûr.

– Quand?

– Le temps que tu ne puisses plus me qualifier de colonisé.

Elle pouffa de rire.

– Si j'en juge par l'ardeur que je vous vois déployer au combat, nous serons de petits vieux, voûtés et tremblotants. Il ne nous restera qu'à évoquer, sur un banc public, nos frasques d'antan.

– Nos grands chefs sont optimistes. Ils estiment que la victoire est imminente.

– Peut-être que tu seras tué?

– Ce ne serait pas une mauvaise fin.

Si Morice évita de faire état à ses auditeurs de leurs effusions.

– Comment avez-vous franchi les barbelés avec la troupe de l'Albinos? lui demanda Palsec.

– Vous connaissez la terrible impétuosité de nos orages. En quelques instants, les oueds à sec se mettent à enfler et à rugir, charriant avec leur nouvelle eau tout ce qui traînait dans leur lit. La crue tumultueuse creusa de profondes ravines, qui traversaient sans danger le no man's land. Il suffit alors de se faufiler sous les barbelés. Il n'y eut ni alerte ni bombardement.

9

Le lendemain, en arrivant à l'hôpital, Kader se dirigea directement vers le pavillon de gastro-entérologie pour voir le professeur Meziane.

Il tira la chaise et s'installa au chevet du malade sans même le saluer, comme s'il venait à peine de le quitter.

Un long moment de silence s'écoula, où chacun semblait s'évertuer à ignorer la présence de l'autre.

– Je suis en train d'expérimenter la condition de malade, murmura enfin Meziane. Cela me sera fort utile. J'apprends ainsi des tas de choses. Tout professeur que je suis, je me trouve dépendant. Les propos de mon collègue sont désormais pour moi paroles d'oracle. Et, sans me l'avouer, j'appréhende le moment de passer en face, dans le bloc opératoire. Ai-je peur de la mort ? A mon âge, et avec mon métier, cela n'est guère de mise.

Meziane aimait bien disserter. Kader se souvenait que, lors de ses cours, dès qu'il sentait l'attention des étudiants se relâcher, il se lançait dans des digressions imprévues qui rétablissaient le silence dans l'immense amphi. Sa voix se faisait forte, son débit plus lent. Ses gestes devenaient amples, majestueux, tandis que trois cents stylos se posaient sur les pupitres. Les plus dissipés interrompaient leurs apartés. Celui qui caressait la cuisse de sa voisine retirait sa main. Les plus turbulents se montraient sages. Et, du plus loin des gradins, on voyait le petit bonhomme qui se démenait sur l'estrade grandir démesurément. Soudain métamorphosé en géant, il prenait possession de tout l'espace.

C'est un acteur tragique réincarné en professeur. Il les tutoie de l'index. Ils sont suspendus à ses lèvres. Il les flatte, il les tance. Il avance, il recule, il gravit quelques marches puis redescend. Il ménage des pauses puis reprend crescendo. Il est tour à tour moqueur, grave, sarcastique, pontifiant. Il baisse le ton, et tous tendent l'oreille pour ne rien rater de l'anecdote. Ils sont tentés d'applaudir à la cinglante morale qu'il en tire, mais il a déjà repris son cours et recouvré ses dimensions ordinaires. Il y a comme de la déception dans l'air.

Kader se rappelait l'avoir un jour aperçu dans une queue de supermarché, espérant acquérir un bidon d'huile. Dans la file houleuse, son maigre buste était pressé entre dos et poitrine. Stoïque, il supportait les bousculades sans protester, tandis que les chauffeurs de plusieurs voitures officielles ressortaient par l'arrière du magasin, les bras chargés de provisions. Kader fut scandalisé de voir son maître ainsi réduit à cette longue et humiliante attente. Il s'interrogeait sur le nombre de malades qu'aurait sauvés le professeur durant tout ce temps. Il en conclut que, dans son pays, cinq litres d'oléagineux devaient valoir plusieurs vies humaines. Il en eut honte. Tête basse, il se détourna. Mais Meziane l'interpella. Il semblait ravi.

– Tu peux noter, lui dit-il, que mon magistère ne me dispense pas d'accomplir mes corvées alimentaires. Tu as tort de t'offusquer en t'apercevant que le plus obscur bureaucrate est mieux traité et pourvu en produits que moi. Mon statut de chef de service m'offre assez de satisfactions pour que j'admette sans drame d'avoir à me priver de café, lorsqu'il vient à manquer. Le petit employé, sans cesse frustré dans son travail, croirait déchoir s'il ne disposait pas de beurre à tartiner. Les puissants me supplient, les puissants l'engueulent. S'il se bat pour obtenir un téléviseur, c'est qu'il en a plus besoin que moi. Rentré chez lui, il a envie d'oublier les brimades subies durant le jour. En revanche, j'emporte des dossiers au moment de partir. Il a hâte de quitter son bureau, il m'arrive souvent d'oublier de déjeuner.

Ainsi, au milieu du magasin grouillant, Kader avait reçu un cours particulier.

– Tu n'es pas l'un de mes plus brillants étudiants, mais tu seras mon meilleur élève. J'aimerais que tu intègres mon service dès le début de ton résidanat.

Kader restait soucieux.

– Qu'est-ce qui te préoccupe? lui demanda l'alité.

– Je crois que j'ai commis une sottise.

– Déjà?

– El Msili voulait confisquer les dossiers de nos malades. J'ai profité de l'heure de la prière pour les subtiliser. Il ne va pas être content.

Meziane hocha la tête sans que son visiteur devinât s'il approuvait ou non son initiative.

– L'essentiel est que tu assumes ton acte.

Kader refusait d'admettre que la haine et l'intolérance pussent fonder un projet de société.

– Qui sont ces hommes? Et pourquoi sont-ils sans pitié?

Le professeur esquissa un geste vague.

– Ils sont les fruits vénéneux de l'injustice sociale, ils sont un véhément reproche. Ils sont nés dans les sous-sols et les bidonvilles. Quoi de plus normal qu'ils réclament leur place au soleil?

– Ce qui m'effraie, c'est leur absence de compassion. Je sais qu'El Msili ravagerait la terre entière sans parvenir à assouvir sa rancune.

– Le mal est fait.

Meziane était convaincu que les hommes

avaient plus besoin de certitudes que de vérité. La voie vers cette dernière étant des plus ardues, il comprenait qu'on crût l'imam qui affirmait que la terre reposait sur les cornes d'un taureau, plutôt que Copernic qui exigeait que l'on s'initiât aux lois de la gravitation.

– Le problème est que la quête de justice, inhérente à l'homme, a souvent mené aux pires égarements. Mais peut-on fonder une morale positive sur le scepticisme? Je ne crois pas. Celui qui veut rassembler ne doit jamais douter, mais toujours affirmer.

Louisa attendait Kader devant la porte de son bureau.

– On vous a laissée entrer?

Le sourire qu'elle lui dédia était chargé du tendre souvenir de leur promenade de la veille. Mais Kader semblait avoir tout oublié. Elle n'avait devant elle qu'un médecin soucieux.

– Si j'ai bien compris, vous n'avez pas suivi une formation d'infirmière.

– Je vous répète que j'ai fait quatre années de médecine.

– Ce n'est pas la même chose.

Devant sa colère, Kader regretta la brutalité de sa remarque. Il se gratta la joue en signe d'excuse.

– Je vais vous présenter à la surveillante. C'est la sœur du professeur Meziane.

– Je sais.

Intrigué, Kader haussa légèrement le sourcil droit. Il estimait que la jeune fille était bien trop sûre d'elle.

Néfissa semblait avoir vieilli de dix ans. Cette quadragénaire était la providence du service. Elle ne cessait, dès sept heures du matin, d'arpenter les couloirs, conseillant ses assistantes, renseignant les visiteurs, rendant service aux médecins, rassurant les malades. Elle allait et venait, sans cesse assaillie, mais toujours disponible. Lors de son recrutement, certains médecins avaient soupçonné Meziane de népotisme. Ils s'étaient ravisés après quelques jours. En fait, le professeur avait mis près de deux ans pour convaincre sa sœur de quitter Paris, où elle exerçait, et de venir le rejoindre. Ses diplômes et ses états de service étaient édifiants. Au bout d'un mois, elle fut plus adulée que son frère. Elle semblait née pour prodiguer les mots qui réconfortent, les gestes qui apaisent. Kader avait le sentiment qu'il avait autant appris d'elle que de son maître. Dès leur première rencontre, ils se surent complices.

Kader savait que Néfissa avait dû subir les pires avanies après avoir eu l'impudence d'épouser un Français, juif de surcroît. Dans leur enfance, les deux voisins de palier, après avoir partagé leurs jeux, avaient pris l'habitude d'aller à l'école main dans la main. Ils s'entendaient si bien, se ressemblaient tant qu'on les tenait pour frère et sœur. Lorsque Néfissa restait quelques heures absente, ses parents devinaient qu'elle se trouvait à côté. Si Joseph boudait le contenu de son assiette, c'était qu'il venait de manger juste en face. Adolescents, ils restèrent inséparables et fréquentèrent le même lycée.

A la veille de l'indépendance, les parents de Joseph décidèrent d'émigrer à Paris.

C'était un jour de juin. A tant marcher sur la plage déserte, ils eurent l'impression d'être perdus. Une légère brume estompait la ville en gradins. Le sable fuyait sous leurs pieds. Ils n'osaient se regarder ni se parler.

Et puis soudain il y eut la furie d'un corps à corps désespéré.

Six mois plus tard, Joseph était de retour. Il avoua à Néfissa qu'il n'avait pu s'adapter à la frénésie de la capitale française.

L'appartement où il avait vu le jour était désormais occupé par la famille criarde d'un éboueur de la Casbah qui rentrait de son travail accompagné par ses quatre ânes. Les animaux dormaient dans le hall de l'immeuble. Moyennant paiement de ses arriérés de loyer, Joseph obtint que l'agent communal allât fracturer la porte du logement de l'étage inférieur, toujours vacant, pour s'y installer avec sa marmaille. Il entreprit alors de faire la cour au père pour obtenir la main de la fille. En vain. Il lui fallut soudoyer un imam prestigieux qui prononça la fetwa autorisant l'union entre les deux enfants des deux Livres. Mais ils furent l'objet d'un tel opprobre qu'ils se résolurent à abandonner le lieu commun de leur enfance, et rejoindre la France. Joseph mourut deux ans plus tard dans un banal accident de voiture.

Néfissa accueillit Kader par une interrogation muette.

– Le moral de ton frère est supérieur au mien, annonça ce dernier avec ironie. Je le soupçonne d'être en train de nous préparer quelques nouveaux cours. Il ne manquera pas de nous les assener dès son retour. Je sais en tout cas qu'il rumine beaucoup d'idées. Il m'a fait remarquer avec dépit que le pavillon de son collègue était plus propre que le sien. Allongé sur son lit, il a eu le temps de dénombrer les cafards qui envahissent le plafond dès la tombée de la nuit. Il estime que ces bestioles prolifèrent davantage chez nous. Il veut en savoir la cause. Attendez-vous à quelques changements à son retour. Je le vois déjà en train de vitupérer dès sept heures du matin. Je vous conseille de stocker toutes les quantités d'insecticides que vous pourrez.

– Si on nous en laisse la liberté, soupira Néfissa. Nos cerbères ont pris une décision originale : les médecins hommes n'ont plus le droit d'accéder aux salles. Et je te signale qu'El Msili t'attend de pied ferme. J'ignorais que tu avais des dons de cambrioleur.

Comme à son habitude, Kader se contenta de faire le dos rond. Il remerciait ce don d'inconscience qui le dispensait d'entrevoir les conséquences de ses actes. Saisissant le bras de Louisa, il la fit avancer.

– Je crois que tu connais notre nouvelle recrue.

Leurs sourires connivents réjouirent l'obstétricien. L'une plus âgée que l'autre, le visage ridé ou épanoui, mais toutes deux aussi belles, elles le couvaient d'un regard attendri.

Deux inconnus gardaient l'entrée de la salle. L'un d'eux signifia à Kader qu'il ne pouvait y pénétrer sans l'autorisation d'El Msili. Ce dernier surgit quelques secondes plus tard dans un qamis immaculé. Il avait parfumé sa barbe et enduit ses paupières de khôl. Il avait déjà acquis ces petits gestes de seigneur envers ses serviteurs qui tentent d'exprimer la sollicitude mais ne parviennent qu'à souligner le mépris. Entouré de courtisans, il officiait à chaque pas. Le nouveau pape se montrait patelin. Il approuvait ou rectifiait. Il suggérait plus qu'il n'ordonnait. Apercevant le médecin, il écarta ses accompagnateurs d'un revers de la main tandis que se durcissaient les traits de son visage.

– J'ai à vous parler, lui dit-il.

– Derrière cette porte, il y a une femme diabétique dont je dois contrôler la tension.

– Il y a plus urgent.

– Elle est déjà devenue aveugle. Elle porte un enfant mort. Il faut l'opérer dès que son état le permettra.

– Je vous attends là-haut.

El Msili lui tourna le dos et s'éloigna à petits pas, suivi par sa cour.

Kader se retrouva, les bras ballants, en train d'errer le long des couloirs, ne pouvant accéder ni à son bureau ni à ses malades. Il s'interrogeait sur cette malédiction qui s'acharnait sur le pays pour permettre à El Msili de commander Meziane. Il était convaincu que les racines de ce mal plongeaient dans un lointain passé et que les ordonnateurs de l'élimination de son père étaient à l'origine des vents ravageurs qui soufflaient sur le pays.

Il sentit l'écœurement le gagner. Il eut envie de retrouver Louisa. Il la découvrit en train de stériliser des instruments, sérieuse et appliquée comme un nouveau potache.

– Il est midi. Si vous avez faim, je peux vous proposer un sandwich de viande hachée.

– On ne refuse pas l'invitation du patron.

Kader guida sa compagne vers les hauteurs de l'hôpital, moins fréquentées par le personnel. Il essayait, par petites questions, de l'inciter à la confidence, car il ne savait rien d'elle. Mais il se rendit compte que sa curiosité ne parvenait qu'à renforcer le mutisme de Louisa, tandis que la tristesse voilait son regard. Il cessa de la harceler. Ils s'assirent sur un banc. La jeune fille n'avait pas touché à son sandwich.

– Je détestais mon père, avoua-t-elle soudain.

D'un hochement de tête, Kader l'encouragea à poursuivre.

– Je suppose qu'il a voulu jouer à recommencer.

A trente ans, il avait résolu de rompre les amarres familiales et, abandonnant sans nostalgie ni remords les monts de sa Kabylie natale, sa femme et ses enfants, il avait émigré à Constantine. Quel terrible événement avait décidé le laboureur à quitter la campagne pour la ville? Mokrane, en biffant le A initial de son prénom, reniait aussi son passé. Il parvint à troquer avec avantage le manche de l'araire contre le commerce de métaux précieux. Bagues, colliers, bracelets, boucles, il allait de rue en rue, proposant ses bijoux aux élégantes citadines. L'ancien montagnard se révéla si habile à vanter ses produits qu'il ne tarda pas à avoir pignon sur rue. Au bout de quelques années, il se retrouva à la tête de quatre magasins aux vitrines somptueusement garnies.

– Tu connais la passion des Constantinoises pour l'or. Aucune d'elles n'accepterait de faire un pas dans la rue, même pour acheter son pain, sans être chargée d'un bon kilo d'orfèvrerie.

Le paysan enrichi s'estima alors en situation de prendre femme. Il étudia tous les partis que lui proposèrent les entremetteuses. Les candidates ne manquaient pas, certaines d'être royalement dotées en or, argent et pierres précieuses. Il jeta son dévolu sur une agnelle dont on lui avait vanté non la beauté, mais la docilité. Mokrane se présenta chez son père revêtu d'un burnous brodé d'or et traînant un magnifique bélier. Il s'était fait accompagner par un prestigieux notable de la cité. La coutume interdit à un prétendant de formuler lui-même sa demande. Il n'avait convaincu son tuteur occasionnel que sur promesse d'une nuit entière de libations et de stupre dans la ville de son choix, hors Constantine où ni l'un ni l'autre ne tenaient à courir le risque d'entacher leur honorabilité au hasard d'une rencontre inopportune. Commença alors le marchandage traditionnel entre le père de la vierge et le bijoutier. Comme dans tout marché de dupes, l'affaire se conclut rapidement, à la satisfaction des deux partenaires, chacun d'eux s'estimant certain d'avoir roulé l'autre.

Le mariage eut lieu quelques semaines plus tard.

– Conne jusqu'au bout des cils, ma mère crut devoir révéler, dès sa nuit de noces, le dessous de ses cartes avant celui de ses jupes. Elle lui avoua tout de go qu'avec elle, il ne pouvait espérer une nombreuse descendance.

Elle lui apprit que sa famille semblait frappée d'une malédiction la condamnant à n'engendrer qu'un unique enfant femelle. L'époux éructa un mécontentement de pure forme et entreprit de lui écarter les jambes, omettant de lui signaler qu'en fait de marmaille, il se considérait comme déjà fort pourvu. Il mit quelques semaines avant de lui annoncer que dans le livret de famille, elle allait s'inscrire en troisième place sur la liste des quatre femmes autorisées. Pour l'apaiser, il lui promit que sitôt prononcé le premier divorce, il entamerait la procédure pour rayer le nom de la seconde épouse. Celle qui n'était plus vierge fut bien obligée d'accepter. Il tint à demi parole : il se délia de l'une mais garda l'autre, sans jamais cependant vivre avec elle.

– Comme pour confirmer la malédiction ancestrale, je vins au monde deux ans plus tard. Ma mère en resta abattue et ne cessa jamais de me mesurer ses gestes de tendresse. Ma grand-mère maternelle vint s'installer chez nous.

Fine et frêle, Louisa avait grandi en fleur de serre, interdite à la rue en raison de sa fragile constitution. Elle dormait dans les bras de son aïeule en dépit de toutes les réprimandes de Mokrane. La vieille femme l'accompagnait à l'école, l'attendait à la sortie. Louisa ne connut de la cité que ce court itinéraire emprunté avec elle.

– Je ne pensais pas survivre à sa disparition. Sur quel sein épancher désormais mon chagrin?

Comme pour compenser cette perte, le bijoutier redoubla d'attentions pour elle. Elle devint sa reine exigeante et capricieuse. Mais, avec l'âge, elle prenait conscience que l'ancien laboureur réservait un traitement bien différent à sa femme. Celle-ci n'existait que pour le servir.

Tôt levée pour lui préparer son petit déjeuner, elle passait le reste de sa journée à trimer entre vaisselle, ménage et cuisine. Elle était prise à partie, pour peu que le plat fût légèrement salé, la chemise mal repassée, les souliers non cirés. Elle acceptait docilement sa condition. Louisa avait beau l'inciter à se défendre, à protester, elle continuait à obéir, tête baissée, comme si la génitrice maudite qu'elle croyait être devait subir chaque jour son calvaire.

– Le marchand d'or ne voyait aucune contradiction entre le rôle d'esclave auquel il l'avait réduite et la liberté qu'il m'accordait.

A quinze ans, Louisa pouvait sortir, lorsque l'envie lui en prenait, passer la nuit chez une amie, voyager seule à l'étranger.

– Ce faisant, il ne m'a pas rendu service. Après sa mort, je m'aperçus bien vite que la société dans laquelle je vivais n'était pas prête à me consentir les mêmes faveurs.

Louisa se retrouva en tête à tête avec une mère qu'elle n'avait jamais vraiment connue. Cette dernière tomba gravement malade alors que la jeune fille entamait sa quatrième année d'études à l'université. Louisa devait, dès la fin de ses cours, se précipiter à la maison pour nourrir, laver, soigner, veiller la grabataire dont l'état ne cessait d'empirer. Lorsqu'il fallut la placer sous perfusion, le médecin exigea son hospitalisation.

– Mes bienveillantes voisines y allèrent de leurs commérages. Elles murmuraient que je cherchais à me débarrasser de celle qui m'avait donné le jour pour me retrouver plus libre. Elles n'avaient jamais apprécié mon comportement.

Kader l'écoutait avec une attention aiguë. Il avait tout oublié de l'hôpital.

– Pourquoi avez-vous interrompu vos études?

– J'ai été exclue le jour de la mort de ma mère.

Louisa s'était retrouvée seule dans la grande maison silencieuse, à errer comme une ombre évanescente et fluide.

– Je n'avais qu'une amie. Je crois que sans Fadila, je serais simplement morte de faim.

Chaque matin, avant de se rendre à son travail, cette dernière faisait irruption chez elle, toujours vive et volubile, les bras chargés de victuailles. Elle ne cessait d'exhorter Louisa à sortir de sa léthargie. Le week-end, elle la forçait à s'habiller pour l'emmener en promenade. Elle l'entraîna dans quelques soirées où Louisa passait son temps à bâiller en dépit de l'essaim d'hommes qui l'assiégeaient, rivalisant de galanterie.

Louisa fut longue à deviner le motif de cette particulière sollicitude des mâles. Entourée de ses parents, elle était une respectable fille de famille. Mais l'orpheline qui habitait seule devenait l'objet de toutes les convoitises. L'alcool aidant, certains se montraient outrageusement entreprenants.

– Je me rendis compte alors que chez nous, il ne peut exister de relation amicale entre un homme et une femme. Un garçon et une fille, cela se résume à un mâle guignant une femelle. Cela relève de la pathologie. Il faudra bien un jour se décider à extirper ce chiendent sexuel qui gangrène vos esprits. Une fille comme moi, qui se maquille, fume, et se permet de temps à autre un verre de whisky, c'est clair, c'est une Fatma couche-toi-là. Le drame, c'est que les autres femmes pensent de même.

Louisa eut donc une ribambelle d'amoureux et une flopée de nouvelles copines. Quelques-unes passaient chez elle pour griller une cigarette ou téléphoner à leur ami, loin des oreilles indiscrètes de leur prude famille. D'autres, plus audacieuses, lui demandaient de les accueillir pendant une heure avec leur partenaire.

– J'eus tôt fait de répudier tout ce pas joli monde...

Elle eut mieux par la suite.

De hauts responsables de l'administration et

du Parti s'avisèrent, avec retard, de lui présenter leurs condoléances. Au téléphone, ils s'enquirent de son sort avec une extrême bienveillance et la supplièrent de ne pas hésiter à faire appel à eux pour le moindre service. Puis ils en vinrent à lui confier au combiné leurs déboires conjugaux.

– Tous ces malheureux vivaient le martyre avec leur femme et se trouvaient d'ailleurs en instance de divorce.

Un jour, au hasard d'une rencontre, elle prit plaisir à rappeler à l'un de ces godelureaux, en présence de sa supposée tyrannique épouse, les doux propos qu'il avait susurrés dans l'ébonite. La gifle magistrale qui échauffa la joue du quinquagénaire récompensa son audace.

– Cet univers de mâles concupiscents m'écœurait. A tel point qu'un soir, j'ai cédé aux avances d'un paumé qui traînait dans la rue. Il me prit à l'abri d'une porte cochère avec tant de hâte et de maladresse qu'il ne s'aperçut même pas que j'étais vierge.

Louisa se tut soudain, comme si elle craignait d'être allée trop loin dans la confidence et que ses aveux risquent de choquer le médecin.

Elle se leva :

– Je dois rejoindre mon poste.

Après le départ de Louisa, Kader se mit à errer, perdu dans ses pensées. Il déboucha sur la place proche de l'hôpital, toujours occupée par les islamistes. Pour l'heure, l'atmosphère était à la bonhomie. Le cordon de police semblait là pour protéger les manifestants plutôt que pour les contenir. C'était le moment du déjeuner. Les plats de couscous et de chorba affluaient de partout, venus on ne savait d'où. Les hommes s'asseyaient en cercle, sous le soleil, et entamaient les mets en couvrant de bénédictions les donateurs inconnus. On se serait cru à une fête.

Les manifestants se hélaient de loin, échangeaient des plaisanteries et des quolibets, se côtoyaient en souriant, heureux de se voir si nombreux. Aucun doute n'était permis : le peuple entier était là sur la place.

Tout change au crépuscule. Dès la fin de la prière, des hommes déterminés se glissent parmi les occupants de la place. Ils se mettent aussitôt à répandre des nouvelles alarmistes. Ils parlent de militants enlevés, de femmes violées, d'enfants assassinés par les forces de l'ordre, le regard fixé sur les hommes casqués. La tension commence à monter. Les policiers deviennent nerveux. Ils reculent et arment leurs fusils. Des barbus menaçants s'avancent vers eux. Des insultes fusent de-ci, de-là. Quelques timides slogans sont bientôt repris en chœur. Des groupes d'adolescents débouchent des rues avoisinantes. Ils se mettent à harceler les hommes en bleu. Une pierre heurte soudain le bouclier d'un agent. Une grenade lacrymogène monte dans le ciel. Des cris, un mouvement de houle, les policiers prennent position derrière les arcades, arme au poing. Les talkies-walkies se mettent à grésiller. Les renforts vont arriver. Le bruit des hélicoptères se fait entendre au loin. La nuit sera chaude.

Kader se mit à déambuler en curieux parmi les manifestants. Il remarqua Rabah assis parmi un groupe. Il lui fit signe de loin. Le déserteur se leva pour le rejoindre.

– Ainsi, tu as rejoint leur camp, toi aussi?

– C'est juste pour le repas. Puisqu'on peut manger à l'œil.

Les deux hommes empruntèrent le boulevard qui serpentait vers les hauteurs de la ville. A mesure qu'ils progressaient, le calme s'instaurait, comme si la rumeur de la place peinait à les suivre.

– Sommes-nous en train d'assister à une révolution? se demanda Kader à voix haute.

Son compagnon se contenta de hausser les épaules. Il n'avait qu'indifférence pour cette folie qui avait saisi la ville. Il n'y comprenait rien et ne cherchait pas à le faire. Il se contentait d'aller là où ses pas le menaient. Rien ne semblait susceptible de l'émouvoir. Kader enviait son détachement.

Il hésita longuement avant de lui poser la question qui le taraudait.

– Saïd m'a dit que tu as fait des études de médecine à Constantine.

– Saïd parle trop, marmonna Rabah. Il est gentil mais ne sait pas se taire.

– As-tu connu une certaine Louisa?

– Pardon?

– Vous avez dû fréquenter la fac à la même époque.

Rabah, soudain renfrogné, fit mine de fouiller dans sa mémoire.

– Je ne m'en souviens pas, lâcha-t-il au bout d'un moment.

– C'est pourtant un genre de fille qu'on ne peut pas ne pas remarquer.

Rabah fixait ses pieds.

– Tu sais, nous étions plusieurs centaines par promotion.

– Elle vient d'être recrutée chez nous, précisa Kader. Son passé m'intrigue.

Rabah se surprit à sourire.

– Et, bien sûr, tu es tombé amoureux d'elle?

Puis le déserteur se montra plus loquace.

– Moi aussi, je l'ai été à l'époque, comme tous les autres étudiants. Et elle ne manquera pas de séduire tous tes confrères du service. Elle est née pour conquérir tous les hommes de la Terre. Tu devrais te méfier, ou plutôt la fuir. Mais je sais qu'il est trop tard et que tu ne suivras pas mon conseil.

Rabah observa un long silence. Une grimace distendit ses lèvres.

– Elle m'a dit qu'elle a été exclue de l'université. Sais-tu pour quel motif?

Rabah revoyait Louisa faisant irruption dans l'amphi, souvent en retard, toujours attifée comme une courtisane. Ses jupes serrées moulaient outrageusement la cambrure de ses reins. Dès les premières chaleurs, on la voyait arriver dans un tee-shirt sans manches, largement échancré aux aisselles. Le moindre de ses mouvements découvrait la naissance d'un sein dans sa ferme promesse. Son arrivée semait l'émoi dans les gradins. Avec son parfum, une multitude de rêves prenaient leur envol, et nul n'écoutait plus le pantin qui se démenait sur l'estrade en s'égosillant. Louisa s'éclipsait dès la fin du cours, comme si elle répugnait à frayer avec ses condisciples. Ils étaient nombreux à supposer qu'elle se dépêchait de rejoindre un de ses amants. Ils la voyaient lascive et offerte au cours de nuits orgiaques. Ils décrivaient avec force détails ces lieux clos aux lumières tamisées où des hétaïres laissaient couler le vin sur leurs poitrines nues.

– Elle cultivait le goût de la provocation. Cherchait-elle à nous défier ? Elle était en tout cas d'une folle inconscience. N'avait-elle pas remarqué que chaque nouvelle promotion grossissait le flot de ces drôles d'étudiants qui estimaient plus utile de consacrer leur temps à l'étude des saints commentaires du Coran qu'à celle des cellules cancéreuses ? Ils tenaient que Dieu, en son omnipotence, était capable de soulager les fidèles des pires maux, alors que les meilleurs traitements pouvaient se révéler sans effet sur les mécréants.

Quand nous réclamions que la bibliothèque restât ouverte plus tard, ils demandaient l'aménagement d'une salle de prière. Nous voulions des navettes de bus plus fréquentes, ils exigeaient la suspension des cours lors des appels du muezzin. Si un spécialiste du sida venait prononcer une conférence, quelques jours plus tard un imam était invité pour réfuter ses propos. Alors que nous nous plaignions de l'insuffisance de travaux pratiques, ils refusaient de participer aux séances de dissection des cadavres humains. Ils n'acceptaient pas ce que leur révélait le microscope.

Et puis, un jour, commença à circuler une pétition réclamant la suppression de la mixité dans les amphis.

Rabah observa un nouveau silence.

– Je t'avoue que je l'ai signée.

L'administration se montra ferme. Il y eut des menaces d'arrêt des cours. Mais rien n'y fit.

– Quelques semaines plus tard, un second texte passa de main en main. Il demandait le renvoi de Louisa en raison de son comportement indigne et de ses mœurs dépravées. Il fut paraphé par tous les garçons, mais aussi par des filles. Une délégation des rédacteurs du document fit comprendre au directeur de l'institut qu'ils acceptaient d'ignorer leur première revendication s'il satisfaisait à la seconde.

Comme leur interlocuteur s'obstinait dans son refus, une grève fut déclenchée.

– Nous portions dans nos tripes un tel rejet du

système que le prétexte le plus ténu suffisait à déclencher une révolte.

L'affaire fut portée au niveau du recteur. Nos porte-parole insinuèrent que la position du responsable de l'institut s'expliquait par le fait qu'il avait lui-même bénéficié des faveurs de Louisa.

– Mais je suppose qu'elle a dû te raconter tout cela.

– Non.

– Elle a eu raison. C'était par trop ignoble. On instruisait son procès alors que sa mère agonisait à l'hôpital. Elle fut exclue à une semaine des examens, le jour même où elle se retrouvait orpheline.

– Pourquoi les avez-vous soutenus?

– Cette question tourmenta longtemps la conscience de nombre d'entre nous. Ils étaient déterminés, nous restions indécis. Ils avaient fini par nous inspirer mauvaise conscience en brandissant le Coran. Ils ont la foi du charbonnier alors que nous cultivons un aristocratique scepticisme. Ils poussaient, et nous cédions; ils avançaient, nous reculions. Le recteur lui-même croyait, en accédant à leur demande, avoir évacué l'épineuse question de la mixité. Il se trompait. Dès les premières semaines de l'année suivante, ils reposèrent le problème.

Rabah finit par avouer :

– La vraie réponse, c'est que nous sommes lâches.

D'un ample geste, il désigna la place en contrebas.

– Là-bas, ils sont des centaines à se battre pour imposer leurs convictions. Pendant ce temps, que faisons-nous ?

Rabah était convaincu que cette vague de fond allait tout bousculer. Il avait pour sa part décidé de s'en désintéresser. Il n'était pas loin de souhaiter ce bouleversement que revendiquaient les intégristes. Qu'avait-il à y perdre, lui qui ne possédait rien ? Il ne voyait devant lui que des promesses d'errances et de dérives. Il n'avait poursuivi ses études que pour éviter de choisir. Puisqu'il réussissait à ses examens, le plus simple était de continuer. Il s'était inscrit en médecine parce que le bachelier qui le précédait dans la file avait opté pour cette spécialité. A aucun moment, il ne s'était vu en blouse blanche, stéthoscope au cou. Il ne s'était même pas donné la peine d'aller retirer son diplôme. D'ailleurs, il avait l'impression d'avoir oublié tout ce qu'il avait appris. Il n'était pas sûr de savoir faire une piqûre. Il se contentait désormais de flotter à vau-l'eau. Seul le souvenir de sa mère parvenait encore à l'émouvoir. Cette pauvre veuve n'avait pu affronter l'existence et avait vécu de dépression en dépression. Et puis, un jour, elle avait tourné le dos à son enfant pour s'engager sur le pont suspendu. On n'avait jamais retrouvé son corps.

10

Kader ne regagna l'hôpital qu'en milieu d'après-midi. La secrétaire du service avait été remplacée par un homme. Ce dernier le fit attendre plus d'une demi-heure avant de l'introduire auprès d'El Msili qui, affalé dans un fauteuil, omit de lui présenter un siège.

– Où sont les dossiers des malades? lui demanda le nouveau maître des lieux.

– Je l'ignore.

– Ils se sont volatilisés?

Kader ne pouvait se faire à l'idée qu'un tel homme dirigeât le pavillon. Il admettait volontiers que les damnés de la Terre réclamassent leur place au soleil, mais il ne pouvait accepter qu'on troquât l'ignorance contre le savoir, la haine contre la compassion. Il se demandait quelle aurait été l'attitude du professeur Meziane. Ce dernier semblait se délecter de la situation dans laquelle se trouvait Kader, comme s'il désirait le mettre à l'épreuve, lui refusant conseils et mises en garde. Momentanément déchargé de ses responsabilités, il prenait plaisir à jouer les spectateurs.

– Je suis venu vous rappeler qu'une femme diabétique risque de mourir si elle est laissée sans surveillance.

– Nous nous en occuperons.

– C'est moi qui suis cette patiente depuis son admission.

– Vous devez vous considérer comme suspendu en attendant que nos responsables statuent sur votre cas.

Kader émit un ricanement.

– Vous avez tort de prendre cette affaire à la légère.

– J'ai le sentiment d'assister à une farce grotesque mais tragique, lança Kader en claquant la porte.

Il ne pouvait oublier cette toute jeune femme de seize ans, plus naïve qu'une oie. Mariée un an auparavant, elle ne s'était jamais doutée qu'en laissant son homme l'entreprendre, elle pouvait se retrouver enceinte. Elle ignorait tout de son diabète et ne suivait aucun traitement. L'enfant mourut dans son ventre. Son taux de glycémie atteignit alors un niveau tel qu'elle en devint aveugle. Ne comprenant rien à ce qui lui arrivait, elle ne cessait de se lamenter tour à tour sur ses yeux perdus et le bébé qui ne remuait plus. Comme elle était inopérable en l'état, le médecin s'était acharné à faire baisser sa tension.

Le brouhaha dans la salle des malades ne cessait de s'amplifier. L'heure des visites était pourtant passée. Kader fut tenté d'y pénétrer, mais la présence des deux cerbères l'en dissuada. La porte s'ouvrit brusquement pour livrer passage à Néfissa. Elle était au bord des larmes.

Kader la rejoignit dans son bureau. Il s'assit tandis qu'elle faisait mine de fouiller dans les tiroirs en reniflant.

– J'espère que tu ne vas pas les laisser faire, lui dit-elle sans même le regarder. Mon frère n'aurait jamais admis leur comportement.

Kader apprit qu'on était en train d'exiger des parents la justification de la situation des malades, cartes d'identité et livrets de famille à l'appui.

– Et notre petite enseignante?

– Ils savent déjà qu'elle n'est pas mariée.

– Le pingouin?

– Son sort est réglé : elle va être expulsée.

– Mais son bébé doit demeurer sous surveillance médicale. Et, de plus, ses parents refusent de venir la chercher.

– C'est bien ce que je leur ai expliqué. Mais ils n'en font qu'à leur tête.

– Je vais te demander le service d'aller prendre la tension de notre diabétique. Je suis interdit d'accès.

– C'est déjà fait, mon cher patron. Je sais que son état te préoccupe. Voici les résultats.

– Je crois qu'il est temps d'opérer, suggéra Kader après avoir analysé les chiffres.

– Mais qui va le faire?

Alors qu'il sortait, Kader fut abordé par une femme en hidjab qui lui apprit qu'on l'avait chargée d'assurer la direction du service.

– Qui êtes-vous?

– Rassurez-vous, je suis médecin.

– Au contraire, cela m'effraie. Vous cautionnez ce qui se passe dans la salle? Quel genre de médecin êtes-vous donc? Et, surtout, quel genre de femme? Ignorez-vous ce qu'on est en train de leur faire subir?

Kader entendit parler de péchés commis, de juste sanction. Il considéra cette femme qui aurait pu être belle si elle s'en était donné la peine. Mais elle s'efforçait de gommer ses attraits et semblait même regretter d'avoir été dotée d'un visage séduisant. Elle cachait son corps comme s'il constituait un objet de honte. Kader eut une pensée saugrenue : avait-elle jamais osé se contempler, nue, dans sa salle de bains? Il se demanda comment elle réagirait le jour où, pour la première fois, son mari tenterait d'ôter ses multiples voiles. Parviendrait-il à lui arracher son slip? Se doutait-elle qu'elle risquait de se retrouver dans ce même pavillon, lestée d'un gros ventre, et qu'au grand jour, jambes écartées, elle laisserait des mains étrangères triturer son sexe?

Il préféra lui tourner le dos.

Malika fut surprise de voir surgir Kader. Ils s'étaient connus sur les bancs de l'université. Il lui avait fait quelques avances, elle n'y avait pas été insensible. Au cours de quelques promenades, ils avaient osé se tenir par la main. Il y avait même eu deux ou trois baisers et quelques caresses. Mais le cœur n'y était pas. Ils parlaient plus souvent de leurs cours que de leur relation. Ils accumulèrent les maladresses jusqu'à la rupture. Ni l'un ni l'autre n'en avait fait un drame. Ils se retrouvèrent dans le même hôpital, et s'évertuèrent à s'éviter.

– Si on allait faire quelques pas dehors? proposa-t-il.

Intriguée, Malika accepta de le suivre. Elle savait que Kader était lent à entrer dans le vif du sujet. À son cou rentré dans les épaules, elle comprit qu'il était mal à l'aise. Voulait-il renouer avec elle? Il lui fit remarquer que les ficus de l'allée s'épanouissaient à mesure que se dégradaient les pavillons.

– Les arbres ont-ils l'âge des immeubles?

Il sourit à l'idée que sa question incongrue n'appelait nulle réponse. Il était arrivé à Kader de regretter de n'avoir pas épousé Malika. Ils auraient vécu sans passion, mais sans déchirements. Ils auraient sans doute fait un couple d'excellents médecins. Kader se demandait s'il avait jamais eu un but précis dans la vie. Il s'avouait incapable de savoir ce qu'il souhaitait faire ou devenir. Il avait l'impression qu'il s'était contenté de se laisser porter au fil des jours et des événements. Il admettait qu'il n'était pas de la race des forgerons. Trop timoré, trop sage? Il en vint à penser à Louisa. Il sentit confusément qu'il avait peur de cette fille de feu.

– Je suppose que ton service est moins bouleversé que le nôtre, dit-il à Malika.

– Il leur pose moins de problèmes. C'est que nous ne nous occupons pas des affaires de sexe. Nous ne réparons que de banals organes.

Kader lui fit soudain face pour lui exposer sa requête. Malika eut un sourire amer.

– Tu seras toujours une bonne pâte destinée à faire du bon pain.

Malika aurait pu aimer son compagnon d'études. S'il ne brillait guère par son entregent, il avait la solidité du chêne. Il ne tenait jamais la vedette dans les discussions, mais ses condisciples écoutaient ses avis. Il bougonnait plus souvent qu'à son tour et restait avare de compliments. A vingt ans, on a besoin de petites attentions. Elle estimait que Kader s'était toujours interdit la moindre galanterie, hormis quelques fugaces gestes de tendresse. Son attitude confinait à la goujaterie. Elle se rappelait ce jour de printemps où il l'avait invitée à se joindre à leur équipe qui projetait une escapade en montagne. Elle disposait d'une heure pour se faire belle. Lorsqu'elle rejoignit le groupe, Kader lui fit remarquer à haute voix que tant de peine ne justifiait pas un si mince résultat. Au retour, elle en pleura toute la nuit. Mais Kader ne lui avoua jamais qu'à cause de sa malheureuse phrase, il s'était morfondu tout autant.

– Je ne peux pas prendre le risque d'opérer ta patiente. Je n'ai pas l'habitude de ce type d'intervention. Si elle succombait ?

– Si on ne fait rien pour elle, il est certain qu'elle mourra.

Malika esquissa un sourire compréhensif.

– Tu restes incorrigible. Pour tes beaux yeux, je le ferai. Serais-tu amoureux d'elle ?

– Je suis toujours épris de mes malades. Je les soigne en appréhendant le moment de les voir partir. Elles ont plus souvent besoin d'amour que de traitement. Je dois être un peu mère poule avec elles.

– Que ne m'as-tu dit ces mots-là lorsque je les quêtais !

A la fin de l'après-midi, en quittant l'hôpital, Kader vit Louisa qui se tenait devant la porte, un petit sac à la main.

– Vous attendez le métro ?

Louisa était heureuse de retrouver Kader et ne dissimulait pas sa joie.

– J'ai un petit problème.

– Oui ?

– Le cousin qui m'offrait l'hospitalité est parti en voyage. Il n'a pas cru utile de me laisser les clés. Je ne connais personne dans cette ville et on dit que les hôtels ne sont guère fréquentables.

L'audace et l'impudence de Louisa stupéfièrent Kader. Son désarroi manifeste ne parvint qu'à accroître le toupet de la jeune fille.

– Si vous acceptiez de m'héberger pour quelques jours, je ne refuserais pas.

– Je pense que ma mère sera heureuse de rompre le morne tête-à-tête que nous poursuivons depuis des années.

Kader n'osait affronter le regard de sa mère. Il se sentait des bras de gorille. Ses laborieuses explications n'eurent pour effet que de susciter les soupçons de la vieille dame. Elle souriait en contemplant la ravissante créature que lui ramenait un fils à l'allure gauche et empruntée. Elle se demandait sur quels sauvages territoires il s'était aventuré pour capturer cette sémillante gazelle. Elle se dit qu'il fallait qu'il fût bien pressé pour se permettre de l'inviter sous le toit familial. Elle se mit à redoubler de prévenances envers Louisa tandis que croissait l'embarras du médecin.

Devenues complices après quelques minutes, les deux femmes commencèrent à échanger regards entendus et propos sibyllins. Kader eut l'impression que c'était lui l'étranger.

– Je vais faire du café, proposa-t-il.

– Si tu veux.

Sa mère ne fit même pas mine de se lever, alors que de coutume elle lui interdisait d'accomplir la moindre tâche ménagère. Assises côte à côte, Louisa et elle se laissèrent servir sans la moindre gêne et sans estimer devoir interrompre leur conversation.

Après plus d'une heure ainsi passée, la mère déclara à son fils :

– Tu sais que je dois assister aux fiançailles de ta cousine. Ton oncle va passer me prendre. Je resterai chez lui une petite semaine. J'ai besoin d'oublier ce qui se passe au bas de notre porte. J'ai déjà préparé le dîner. Tu n'auras qu'à le réchauffer.

Ils sont seuls. Kader est désemparé. Louisa prend ses aises, comme si elle se trouvait chez elle. Il est désolé de ne rien pouvoir lui offrir après le café. Mais elle ne veut rien. Il allume la radio. Elle est contrariée. Il lui propose un article qui vient de paraître sur le sida. Elle essaie de s'y intéresser. Il lui faut téléphoner à un ami, mais son correspondant ne décroche pas. Elle entreprend de feuilleter un livre abandonné sur le parquet et dont la couverture a crissé sous son talon. Il ouvre la fenêtre et les clameurs de la place envahissent la pièce.

– Il fait chaud, prétend-il.

Elle se contente d'approuver d'un sourire. Mais

un premier lambeau de fumée des grenades, en pénétrant dans la chambre, provoque la toux de Louisa. Il se hâte de refermer.

– J'avais oublié, lui dit-il en guise d'excuse.

Il sait qu'ils iront au lit. Elle le désire. Sa tranquillité le désarçonne. Il tente de deviner à quel type de femme il a affaire. Il est inquiet. Elle semble s'amuser. Il se met à parler pour rompre sa gêne. Si Morice doit l'attendre dans la remorque. Il n'a pas le droit d'abandonner son tuteur. Il affirme qu'il va le rejoindre, mais reste assis. Elle hoche la tête. Elle éclate de rire lorsqu'il évoque les multiples frasques de Saïd. Kader devient intarissable. Il se découvre un talent de conteur. Le moindre mot suscite une longue histoire. Tous les prétextes sont bons. Louisa se laisse fasciner par la verve inattendue du médecin habituellement si laconique.

La voici mondaine. Elle retire de son sac un porte-cigarettes et lui demande du feu. Elle caresse le bracelet qui alourdit son poignet. Sa paume soutient son menton en une pause de starlette. Elle ôte une boucle d'oreille pour presser le lobe qui la démange.

La voici ménagère. Elle entreprend de laver les tasses à café qui traînaient sur la table. Elle est déçue de ne trouver aucune assiette sale.

La voici coquette. Elle va se remaquiller dans

la salle de bains. Elle prend tout son temps. Elle se repeigne longuement.

Et puis elle se lève. Elle veut partir. Qu'importe la nuit. Elle ira. Il ne sait pourquoi. Elle a déjà empoigné son sac.

Il se sent maladroit, ridicule. L'aurait-il vexée? Il ne sait comment faire pour la retenir. Il feint de consentir à la laisser disparaître. Il pose la main sur la poignée de la porte. Et puis soudain il s'élance vers elle avec une violence barbare. Elle ploie sous sa brutale étreinte.

Il s'est endormi juste après l'amour, comme un bébé qui vient de terminer son biberon. Ils ne se relevèrent que vers minuit pour dîner. Louisa semblait triste, comme si elle regrettait ce qui venait de se passer. Kader tenta quelques gestes de tendresse, mais elle semblait réticente. Ils mangèrent en silence, comme de vieux amants. Soudain, sans que rien l'ait laissé prévoir, elle retrouva la gaieté, comme un enfant qui passe des larmes au rire. Et puis, elle devint si languide que Kader n'eut aucune peine à l'entraîner vers le lit.

Lorsqu'il se réveilla, Louisa était dans la cuisine en train de malmener le reste de vaisselle qu'elle avait trouvé dans l'évier.

La torpeur matinale de Kader était toujours lente à se dissiper. Il aurait aimé retrouver dans ses bras une Louisa languide.

– Qu'est-ce que tu en penses? lui demanda Louisa, revenue dans la chambre.

Elle veillait à se maintenir éloignée du lit. Elle savait qu'il la guettait dans l'espoir de happer son bras et de l'attirer de nouveau à lui.

Kader n'était pas en état de lui donner la réplique.

– Le café de Sa Fainéantise est prêt, lui apprit-elle en s'échappant. Je dois me dépêcher de le Lui servir.

Elle arriva à petits pas de geisha, le bol tenu à deux mains comme une relique au niveau de son front. Elle s'agenouilla à la manière japonaise et, tête baissée, le lui tendit.

– Ô mon maître, veuillez condescendre à goûter à cet insipide breuvage préparé par votre indigne servante.

Kader se prêta au jeu afin de surprendre Louisa et l'étreindre. Mais, pressentant son geste, elle se releva d'un bond, hors de portée, et le bras de Kader resta suspendu dans le vide.

Se rendant compte qu'il n'avait aucune chance de reprendre Louisa, Kader se leva en maugréant et la rejoignit à la cuisine.

– Vas-tu cesser de me fuir?
Elle l'accueillit d'un regard grave.
– Que veulent ces gens qui occupent la place?
Kader se resservit du café.
– Ce sont des rêveurs. Ils croient que le monde peut ressembler à l'idée qu'ils s'en font. C'est ainsi que débutent les révolutions.
– Et à vouloir punir les femmes?
– Il leur faut bien un ennemi, un grand Chitane* qui cristallise la cause de tous les maux. Les Juifs ont déjà servi.
– Que nous promettent-ils?
– Beaucoup de tribunaux, beaucoup de bûchers. C'est un frénétique désir de pureté qui les anime. Ils récusent le caractère utopique de leur projet et retournent tous les arguments. Si, au seuil des mosquées, des croyants subtilisent les souliers d'autres croyants, c'est que leurs rangs restent truffés d'hypocrites. Il faudra les débusquer et les châtier. Et pourtant, de tout temps, même à l'époque du Prophète, on a volé les souliers au seuil des mosquées...
Kader comprenait bien que ces prosélytes ne pouvaient admettre cette réalité banale sans risquer de saper les bases de la société idéale qu'ils appelaient de leurs vœux. Il leur fallait poser comme paradigme le magistère du Prophète.
– Refus tactique de l'Histoire, poursuivit

* Satan.

Kader. Leurs leaders ont la duplicité des politiciens. Ils savent bien que, s'ils parvenaient au pouvoir, en dépit de toutes les purges, on continuerait à voler les souliers au seuil des mosquées.

Mais Kader n'avait nulle envie de continuer à disserter sur ce sujet.

– Il va falloir regagner l'hôpital, suggéra-t-il.

– Dis plutôt que tu veux me chasser! hurla-t-elle dans un accès de fureur imprévu.

Elle s'enfuit en claquant la porte.

Découvrant son égoïsme, Kader resta longtemps à tourner en rond, les bras ballants. Les réactions de Louisa ne cessaient de le surprendre. Lorsqu'il sortit sur le palier, il la vit assise sur une marche de l'escalier, les bras emprisonnant ses genoux. Elle pleurait en silence. Avec d'infinies précautions, il la saisit aux aisselles pour la soulever. Elle se laissa faire avec une docilité inattendue et regagna l'appartement.

– Je ne suis pas la beurette que tu voulais draguer en vue d'agrémenter ton séjour dans la Ville lumière. Tu étais mal tombé. Je suis une emmerdeuse. Je sais que je te plais, et tu ne m'es pas indifférent. Nous aurions pu aller baiser le soir de notre première rencontre, et tout aurait été fait, sinon dit. Tu serais reparti au matin, vide de désir et de sentiment. Tu n'aurais plus évoqué ta passade qu'en des soirs d'ivresse, je t'aurais oublié après quelques jours. Mais à te voir trimbaler tes lourdes épaules en essayant de surmonter ta trouille, je n'ai pas pu réfréner ma tendresse. Alors que je m'étais promis de ne jamais y remettre les pieds, c'est pour toi que je suis revenue au pays, parce que là-bas, ce soir-là, devant la bouche du métro, j'avais vu Adam en peine de Hawa* exilée sur les bords de Seine.

Elle alluma une cigarette.

– Tu veux repartir à l'hôpital. Et moi, j'ai envie que tu m'écoutes.

Après son exclusion de l'université, elle avait quitté la ville des aigles, Constantine la Romaine, si inconfortablement juchée sur son rocher qu'elle semble toujours sur le point de basculer dans le précipice.

– J'ai traîné deux ans à Paris. Vingt-sept mois exactement à errer dans des avenues trop larges, trop droites, qui jamais ne réservent de surprises ni ne se permettent le moindre caprice. Elles ne savent mener qu'à l'endroit où l'on veut aller. Elles n'ont aucune coquetterie. Ô ma ville si haut perchée! Construite en labyrinthe, elle s'amuse à piéger les visiteurs. Ses rues jouent avec les aléas du rocher. Elles savent éviter tous les traquenards. Promises au gouffre, les voilà qui soudain l'esquivent pour s'enfuir, aguicheuses, dans une autre direction. Ainsi se comportent nos filles avec leurs amoureux.

* Nom arabe d'Ève.

Kader l'écoutait avec une attention aiguë.

– A Paris, il m'arrivait des choses étranges.

– Lesquelles?

– J'étais souvent désorientée. Sortant du métro, je tournais le dos à la rue où j'habitais, ne constatant ma méprise qu'au bout d'une centaine de mètres. Cela se répétait si souvent que je m'en suis inquiétée. J'ai fini par en découvrir la cause : le soleil. Sans mon soleil pour me repérer, je perds tout sens de l'orientation. Je me découvris héliotrope, le regard toujours levé vers le ciel, comme tant de fleurs de mon pays. Je n'arrivais pas à m'habituer à cette uniforme grisaille qui dilue les jeux d'ombre et de lumière. Je trimbalais partout mon spleen et mon parapluie.

Louisa ne s'était jamais sentie chez elle dans l'anonyme studio qu'elle avait réussi à louer. Il resta aussi nu qu'elle l'avait trouvé. Elle refusait inconsciemment de personnaliser cet espace.

– Mon univers? Quelques copines beurs qui, selon leurs fantasmes, cultivaient la hargne ou la nostalgie du pays de leurs pères. Nous nous retrouvions de temps à autre pour déguster un couscous, soutenir une manifestation de SOS Racisme ou assister à une pièce de théâtre ridicule à Beaubourg. Quelques copains, Maghrébins ou paumés, ou les deux à la fois. Ils étaient compréhensifs, disponibles et discrets. Il m'arrivait de passer la nuit avec l'un d'eux.

Kader ne lui en demandait pas tant. Il se

rappelait que lui-même avait toujours plutôt recherché les coins d'ombre et de paix. Il sentait monter en Louisa un sentiment d'abattement et de révolte mêlés. Elle était comme une enfant prompte à passer du rire aux pleurs, de la joie à la morosité. Il préféra se réfugier dans le mutisme. Elle prit son silence pour de l'indifférence. Elle se mit à lui faire des reproches successifs et contradictoires. Il lui avait parlé la veille de cette collègue dont il avait été tièdement amoureux.

– Vous êtes tous les mêmes, vous ne pensez qu'au lit. Après, vous n'avez qu'une seule hâte, c'est de vous tirer.

Ses propos devenaient incohérents.

– D'ailleurs, je suis persuadée que tu l'aimes toujours. Tu ne te montres si pressé d'aller à l'hôpital que pour la retrouver. Je sais bien que tu as été la voir hier.

Louisa fut tour à tour odieuse, pathétique, suppliante. Elle se rua enfin sur lui, toutes griffes dehors, animée d'un désir frénétique. Furieux corps à corps. Après le combat, ils se découvrirent pantelants.

– Je me comporte déjà comme une vieille maîtresse qui craint qu'on la néglige, observa-t-elle d'un ton désabusé.

Il baisa la naissance de ses lèvres qu'une moue distendait. Il souhaitait la bercer dans ses bras mais craignait une nouvelle saute d'humeur. Il pressentait qu'il allait tout subordonner aux désirs de cet être tourmenté, et qu'elle le mènerait, d'abandons en reniements, jusqu'à l'ultime naufrage. Agrippés l'un à l'autre, ils couleraient dans un suave désespoir.

11

Si Morice était déçu. Les sourires complices de Saïd et Rabah lui avaient fait comprendre que Kader ne serait pas des leurs cette nuit-là.

– Où est-il? Nous sommes si bien ici.

– Il est en bonne compagnie. Son absence ne devrait pas t'empêcher de nous raconter une petite histoire, lui suggéra Saïd. Mais commence par avaler tes pâtes.

– Je déteste les spaghettis. Cela me rappelle mes détestables années de potache.

Le vieil homme était de mauvaise humeur. Il n'aimait pas qu'on l'abandonne.

– Mais où va-t-il dormir?

– Dans des bras très doux.

Si Morice exigea d'être mis dans la confidence. Avec une mine de conspirateur, il tendit l'oreille vers la bouche de Saïd et l'écouta en opinant, satisfait. Il resta silencieux quelques instants avant de se redresser, le regard pétillant, comme inspiré, malgré l'absence de toute bouteille à portée de main.

– J'ai une idée. Je vous propose un concours. Chacun de vous va raconter sa plus belle histoire d'amour. On votera pour élire la meilleure. Les perdants se cotiseront pour offrir au lauréat une bouteille de whisky. Qu'en pensez-vous?

L'assistance approuva avec un enthousiasme affecté le marché léonin. Nul n'était dupe. Il ne s'agissait que d'une originale transition. Il était hors de question pour qui ce que ce fût de faire état de sa petite aventure sentimentale. Si Morice n'aurait jamais eu la patience de l'écouter et se serait mis à ronfler dès la troisième phrase. Par ailleurs, la nature de la récompense désignait à priori le lauréat. Mais les occupants de la remorque attendaient du récit promis quelques instants d'évasion.

Si Morice s'empressa d'ajouter :

– J'use du privilège de l'âge pour commencer.

Son entourage y consentit sans peine.

Si Morice resta un moment silencieux, le regard perdu, afin d'attiser la curiosité de ses auditeurs. Puis un sourire attendri creusa les rides de son visage.

– Cet Albinos du diable était revenu me voir...

A jeun, Si Morice perdait sa forfanterie coutumière. Il devenait grave, ses propos se faisaient plus intimistes. Il se dévoilait. Ce n'était plus qu'un vieil homme qui parlait.

– Certes, j'ai toujours été un cabotin, prêt à

tout pour me faire remarquer, sinon admirer. C'est la faute de mon père. Il m'a mal élevé.

– Tu ne t'es pas amélioré avec l'âge, lui répliqua Saïd.

– Mais, je vous le jure, je n'ai rien su de cette nouvelle mission, jusqu'au moment fatidique.

Ils avaient dû franchir les barbelés. De l'autre côté de la frontière, un guide taciturne attendait Si Morice et l'Albinos. Il les mena à l'orée d'un petit village où une voiture les convoya jusqu'à Tunis. Ils furent logés dans un hôtel discret. Leur cicérone leur distribua un pécule en leur recommandant d'acheter des vêtements de ville. Ils avaient vingt-quatre heures de liberté.

– L'Albinos et moi nous retrouvâmes costumés comme des paysans en virée. J'avais perdu l'habitude de ces pantalons aux jambes étroites. Cela me gênait à l'entre-deux.

Après plusieurs années de montagne, ils furent ravis de retrouver les lumières de la ville, les passants, les consommateurs attablés à la terrasse des cafés. Ils étaient persuadés que cela avait cessé d'exister.

– Nous vécûmes cette tranche de paix comme un soulagement, une euphorie au reflux de la douleur, un réveil à l'aube dans un sursis de silence, quand dorment encore les oiseaux.

Ils convinrent aussitôt qu'ils devaient en priorité faire connaissance avec les bordels de la capitale.

– Drôle de pays : les putes y sont aimables et tendres. Je faillis m'amouracher de l'une d'elles.

Mais leur mentor réapparut et il fallut plier bagage.

– Où allons-nous?

Les questions répétées de Si Morice ne reçurent aucune réponse. Le mystère entourant leur équipée s'épaississait. Leur cornac les conduisit à l'aéroport et leur fournit de vrais billets et de vrais-faux passeports tunisiens. Ils embarquèrent pour Rome.

– Dans l'attente de la correspondance, nous nous régalâmes de whisky hors taxes sous l'œil réprobateur de notre compagnon.

Ils atterrirent à Rabat où les attendait une autre voiture. Le trajet dura plus de quatre heures.

– Où allons-nous? répéta Si Morice.

– Nous arrivons.

A l'air iodé qu'il huma en descendant de voiture, Si Morice devina la proximité de la mer. Il aimait les villes côtières.

– Ce sont les plus ouvertes, les plus offertes. Un port, c'est une porte sur le reste du monde. Les cités marines ne sont jamais puritaines ou xénophobes. Les matelots le savent bien.

Celle qui accueillit le groupe respirait la joie de vivre. Des arbres immenses ombrageaient ses rues. Les jardins publics et les fontaines foisonnaient. Au jour finissant, ses places se peuplaient de promeneurs et d'amoureux.

– Tanger reste pour moi le refuge idéal, l'ultime retraite où pourra enfin agir le baume de l'oubli sur les meurtrissures d'un passé qui ne cesse de nous tourmenter.

Ils furent hébergés dans une immense hacienda où s'entrecroisaient des gens au statut indéfini et aux allures mystérieuses.

L'Albinos devint rapidement la coqueluche des femmes du quartier où pullulaient les boîtes de nuit, les fumeries, les hôtels de passe, les bordels et les plus suspectes officines d'import-export.

– Simple curiosité, affirmait-il à son compagnon. Elles me prennent pour un animal bizarre et veulent toutes m'essayer afin de voir comment je suis fait.

Si Morice se redressa. Il tentait de résister à la nostalgie qui le submergeait peu à peu. Il lui fallut plusieurs allumettes avant de réussir à embraser le tabac de sa pipe.

– Je dois empêcher la flamme de roussir ma barbe de vieux guérillero. Elle est mon seul luxe désormais, avec le whisky et l'herbe.

Son récit traînait. Il n'avait guère envie de poursuivre. Kader lui manquait.

– Alors? l'aiguillonna Rabah.

Une vive lueur ranima le regard du conteur.

– Cette ville de lotophages incitait à l'euphorie. Si Morice se sentait prêt à tomber amoureux de la première passante. Il trouvait toutes les femmes ravissantes et les hommes indulgents et compréhensifs. Les habitants ne cherchaient qu'à jouir de la vie. Tandis que l'Albinos se dévouait à satisfaire toute curiosité féminine exprimée, Si Morice écumait les bars des hôtels qui abondaient à Tanger. Ces luxueux palaces restaient quasiment vides. Un personnel méticuleux faisait mine de nettoyer des chambres inoccupées, des réceptionnistes diligents attendaient des clients qui ne venaient pas, des barmen stylés s'acharnaient à essuyer des verres propres, des orchestres prestigieux s'obstinaient à interpréter leurs airs devant des pistes de danse désertes. Ces simulacres ressemblaient à un jeu de grands enfants. Si Morice se demandait quelle étrange folie avait fait surgir en si grand nombre ces édifices inutiles. Il posa la question à son nouvel ami.

– La fièvre du gain facile, lui répondit ce dernier. Ces immeubles ont poussé comme des champignons après les accords internationaux qui firent de Tanger une ville ouverte, un havre hors des lois. Du monde entier affluèrent alors les louches intermédiaires, les carambouilleurs en tous genres, les arnaqueurs patentés, les proxénètes avérés, les truands apatrides, les affairistes véreux, les marchands d'armes, les armateurs marrons, les espions. On vit fleurir tous les trafics :

l'alcool, les cigarettes, la traite des Blanches, mais surtout la drogue et les armes. Toute cette faune s'éclipsa lorsque fut aboli le statut d'exterritorialité de la ville. Et ses hôtels se vidèrent.

Il avait rencontré Abdelkrim au treizième étage de l'un d'entre eux. Seul client du bar, il s'ennuyait ferme face à son verre. Les deux consommateurs sympathisèrent très vite. Abdelkrim vivait une oisiveté de riche héritier. La trentaine élégante, il promenait son spleen de ville en ville, d'hôtel en hôtel, de femme en femme, d'aventure en aventure. L'irruption toujours tapageuse de Si Morice dans le bar constitua pour lui une heureuse diversion. Les deux hommes découvrirent avec joie que leurs exils parisiens avaient été concomitants. Ils exprimèrent le regret de ne pas s'y être connus.

– Nous devînmes inséparables. J'appréciais sa prodigalité et mes idées paradoxales l'amusaient.

Ils se rencontraient chaque soir pour discuter et boire jusqu'à l'aube. Un jour, Si Morice fut invité à l'accompagner à une soirée très particulière.

– Ça te dit de participer à une véritable orgie ?

– J'en raffole.

Ils étaient quelques condisciples qui, à la fin de leurs études, au moment de se séparer, étaient convenus de se retrouver tous les quatre ans, entre deux Olympiades, pour faire la fête et évoquer leur passé d'étudiants frivoles et insouciants.

– Jusqu'ici, aucun d'entre nous n'a manqué le rendez-vous quadriennal. En général, on s'y amuse assez.

Comme le mentor des deux maquisards ne se décidait pas à donner signe de vie, Si Morice prévint l'Albinos qu'il s'absenterait durant trois jours.

– Où pars-tu?

– Aucune idée.

Il rejoignit Abdelkrim qui l'attendait adossé à un véhicule tout terrain, chaussé de bottes de caoutchouc et tenant sur le bras une veste fourrée.

– Nous allons au pôle Nord?

– J'ai prévu le même équipement pour toi.

Ils roulèrent toute la matinée. Après s'être restaurés dans une charmante auberge, ils empruntèrent une route sinueuse qui ne cessait de monter.

– Pourquoi avez-vous choisi un lieu de rendez-vous si isolé?

– Là-haut, personne ne viendra nous chercher noise.

Assommé par le vin, bercé par les cahots, Si Morice s'endormit. Il ne rouvrit les yeux qu'au crépuscule. Sur le bord de la route, on voyait çà et là des plaques de neige. A mesure qu'ils grimpaient, le blanc tapissait le sol de la forêt.

– Tu as bien fait de te reposer. La nuit sera longue.

Trois heures plus tard, le faisceau des phares éclaira un grand chalet devant lequel stationnaient déjà quatre voitures.

– Je crois que nous sommes bons derniers, nota le conducteur.

En franchissant le seuil, il sembla à Si Morice qu'il venait de pénétrer dans un monde de rêve. L'apparition d'Abdelkrim fut ovationnée. On salua son compagon avec déférence. Agglutinés autour d'un grand feu de bois, une douzaine d'hommes et de femmes, décidés à faire la fête, buvaient, fumaient, plaisantaient, riaient ou chantaient.

– J'adore ces ambiances, précisa Si Morice. Je retrouve mon génie narratif dès le troisième verre. Il n'avait pas compris, notre très sagace prophète, que nous ne buvons que pour nous retrouver tels qu'en nous-mêmes, lucides et désabusés. J'ai toujours bu plus que de raison. Si je n'ai pas d'excuse, cela m'évite de me justifier. Il se trouve que l'alcool me met en verve. Je n'ai pas résisté à l'envie de conter à ces nouveaux auditeurs quelques-unes de mes aventures.

Comme à son habitude, Si Morice n'avait pas tardé à monopoliser l'attention de l'assistance.

– Bien sûr, j'en rajoutai, comme je le fais aujourd'hui avec vous. Mais il faut reconnaître que les fêtards buvaient leur vin et mes paroles.

« Elle » avait préféré se retirer près du feu et

contemplait obstinément les flammes, fascinée par le spectacle des bûches crépitantes. De temps à autre, elle détournait la tête pour accabler le hâbleur d'un regard de reproche.

Si Morice avait quitté ses compagnons de la remorque. A présent, il était tout à ses souvenirs.

– On a parlé, mangé, dansé...

Un à un ou par couple, les convives se retirèrent. Resté seul, Si Morice sortit respirer l'air glacé des hauteurs dans le jour naissant. Les montagnes environnantes lui rappelèrent celles qu'il venait de quitter. Il crut même distinguer au loin, dans le clair-obscur, la ligne menaçante du barrage électrifiée.

– J'ignorais que d'autres barbelés nous séparaient de nos frères marocains.

Tandis que le regard de Si Morice plongeait dans l'abîme qui s'ouvrait à ses pieds, une voix murmura dans son dos :

– Vous n'auriez pas dû raconter tout cela.

Il se retrouva face à Elle.

– Je n'aime pas les cabotins, ajouta-t-Elle sur un ton sévère.

Une réplique cinglante faillit fuser des lèvres de Si Morice, mais le regard grave et navré de l'inconnue l'en dissuada.

– Pourquoi brocarder ainsi vos compagnons en lutte pour la libération de votre pays? Vous transformez en récit picaresque un combat héroïque. Bien des peuples gardent les yeux fixés sur vous et applaudissent à chacun de vos succès. Pour ceux qui vivent encore dans la nuit coloniale, vous êtes un flambeau. Et ces aventures féminines que vous détaillez avec complaisance, vous en êtes si fier?

Étonné et amusé, Si Morice écoutait les réprimandes en caressant sa barbe.

– Que répondre à ma belle moralisatrice? Il faisait froid. Je lui ai proposé de retourner près du feu.

Elle le harcela de questions sérieuses. Si Morice tenta de reprendre son ton enjoué, mais un froncement de sourcils l'en dissuada. Elle voulait savoir dans le détail comment ils vivaient au maquis, comment ils se battaient, comment évoluait la situation.

– L'armée française est en train de nous asphyxier. Les opérations « Jumelles » et « Pierres précieuses » sont redoutables. Les ratissages sont si fins que nous ne pouvons plus mettre le nez hors de nos grottes.

Elle interrompit d'un geste agacé ses commentaires pessimistes et l'encouragea à souligner leurs progrès, leurs victoires et leur détermination à poursuivre la lutte.

Vu de près, le visage de l'inconnue se révélait fascinant et Si Morice se laissa envoûter par les grands yeux rivés sur lui.

– C'est ainsi que je fis connaissance avec la plus belle fille du monde.

Le premier levé des convives les trouva toujours assis près du feu agonisant.

Si Morice avait interrogé Abdelkrim à son propos :

– Qui est-elle?

– Un don du ciel.

Tandis que son compagnon s'éloignait, le maquisard lui lança :

– Pour toi, le bonheur, qu'est-ce que c'est?

– Une oasis dans le désert. Ou peut-être son mirage.

Le vieil homme se redressa.

– Dans ce chalet perdu dans la montagne, nous avons passé ainsi trois jours et trois nuits. Je ne peux pas vous raconter. C'est inénarrable. Nous étions hors du temps et du monde.

Au moment du départ, Elle avait demandé à Abdelkrim s'il pouvait accomplir un petit détour pour la déposer chez Elle.

– C'est pour rester un peu plus avec toi, me souffla-t-Elle.

Une subtile topographie escamotait le hameau relié par une route si discrète qu'aucun guide ne la mentionnait. Elle les invita à prendre des rafraîchissements. En fait, Elle n'avait à leur offrir que de l'eau. Lorsque, imitant son ami, Si Morice se leva pour prendre congé, Elle s'encadra vivement sur le seuil de la porte pour lui barrer le passage, les joues ruisselantes de larmes.

Abdelkrim s'éloigna.

– Je ne peux pas me résoudre à te laisser partir. Restons encore une nuit ensemble.

– C'est impossible. Je suis ici en mission. Mon escapade n'était pas prévue et mes chefs doivent s'inquiéter. Ils ne plaisantent pas avec les déserteurs.

– Je t'en supplie, une seule nuit.

Si Morice avait longtemps hésité. Il expliqua à ses auditeurs que sa crainte était autre, car il n'avait cure de la réaction de ses supérieurs. Mais sa conquête ressemblait à une héroïne de roman-photo : belle, fine, élégante, toujours maquillée, idéale en tous points. Pour lui, Elle ne pouvait se mouvoir que dans un univers ouaté, sans aspérités ni pesanteur. Fleur de nuit, sa présence exigeait de subtils éclairages pour jouer avec les ombres. Il redoutait pour Elle l'épreuve de la lumière crue du soleil.

– Si j'acceptais de passer la nuit, comment l'aurais-je retrouvée au matin? Jusque-là, nous avions vécu dans l'enchantement de l'obscurité, en un lieu étrange et feutré. A la voir évoluer en plein jour, dans son milieu naturel, je craignais que ne fût rompu le charme... Bien sûr, à la fin, je suis resté. Eh bien, poursuivit Si Morice un ton plus haut, figurez-vous qu'Elle m'a épaté!

Il n'en revenait pas de voir les fins doigts de sa fée éplucher les patates, balayer, coudre, laver la vaisselle. Il avait passé une semaine dans ce village soustrait au reste du pays, dont les maisons étaient si coquettes et pimpantes qu'elles semblaient extraites d'une planche de dessin animé. Des arbres opulents ombrageaient des rues d'une propreté méticuleuse, mais quasi désertes. Quelques rares boutiques proposaient le contenu de leur étal à des clients encore plus rares. Ceux qui venaient s'approvisionner se fournissaient si abondamment qu'on aurait cru les marchandises gratuites. Si Morice fut encore plus intrigué par l'absence d'enfants. Il n'en rencontra aucun durant son séjour. Quel sort réservaient donc les habitants à leur progéniture ? Assassinaient-ils les nouveau-nés ? Les exilaient-ils ?

La compagne de Si Morice vivait dans un mystérieux isolement. Elle paraissait n'avoir ni parents ni amis ni emploi. Elle ne sortait jamais. Les volets de sa maison étaient toujours clos. Elle restait détachée des contingences matérielles, et il semblait bien que le mépris où Elle les tenait pliait l'ordre du monde à ses désirs. Elle trouvait chaque jour devant sa porte un panier empli de provisions. Elle affirmait tout ignorer de la provenance de ces vivres et Si Morice préférait croire à son pouvoir de fée. Lorsqu'il arrivait que le couffin ne fût pas là, Elle décidait, sans la moindre contrariété, de réchauffer les restes du repas de la veille. Si Morice ne cessait d'admirer en Elle son indifférence aux aléas de la vie quotidienne.

– Elle pouvait se passer de manger, de boire, de dormir, même de fumer – de tout sauf de ma présence.

Il devait négocier auprès d'Elle chaque brève promenade dans le village. Lorsqu'il s'attardait, il la retrouvait dans un état proche de la panique. Elle lui sautait alors au cou et le serrait si fort qu'il ne savait plus à qui destiner ses remerciements pour ce cadeau d'amour imprévu. Le cœur gonflé de tendresse, il enfouissait son visage dans ses cheveux afin qu'Elle ne vît pas ses yeux se noyer de larmes. Elle disait qu'Elle vivait dans la hantise de le voir disparaître et ses cauchemars ne cessaient de nourrir cette angoisse. Même quand il était présent à la maison, tout silence prolongé lui devenait suspect, et Elle se précipitait à sa recherche.

– J'avais tort de craindre de la découvrir au matin sans apprêts. Elle demeurait toujours aussi belle.

Sa toilette quotidienne s'apparentait à un véritable cérémonial. Elle s'enfermait plus de deux heures dans sa salle de bains, plus pourvue en produits de beauté qu'un rayon de supermarché parisien. Elle réapparaissait chaque jour métamorphosée, chaque jour plus ravissante.

Ils passaient leurs nuits à s'aimer et leurs joutes ne s'achevaient qu'avec le chant du muezzin.

Si Morice se tut et le soudain silence souligna le calme inattendu de la nuit.

– C'est difficile à expliquer, reprit le vieil homme. Je crois qu'Elle fut la seule personne à m'avoir réconcilié avec moi-même.

Il avait été long à découvrir qu'on pouvait l'aimer pour lui-même.

– Terrible expérience. Rencontrer l'être qui se suffit de vous, heureux de votre seule présence, et qui ne réclame que cela.

Cela permit à Si Morice de prendre conscience de son autonomie, de sa propre densité, de la possibilité de vivre pour lui et non contre les autres.

« Non, lui répétait-Elle, je déteste te voir faire le cabotin. Tu vaux mieux que cela. Ton engagement le prouve assez. Chasse donc ce cynisme affecté. Je t'aime lorsque tu es toi, que tu ris ou pleures sans songer à l'image que tu présentes. »

– Que répondre à cela? reprenait Si Morice. Voulez-vous que je vous dise? Durant toute la semaine que nous avons passée ensemble, je n'ai pas bu une seule goutte d'alcool. Miraculeux, non?

Si Morice, attendri, tenta de recouvrer son ton badin, comme s'il craignait de s'être trop découvert.

– Évidemment, les plus beaux rêves ont une fin. Un jour, vers la fin de l'après-midi, alors que nous venions de nous réveiller, en repoussant les volets, j'aperçus derrière la grille la face ricanante de l'Albinos. Son rictus me fit comprendre que mon escapade venait de s'achever.

Si Morice marqua une longue pause et ses

auditeurs crurent qu'il venait de terminer son récit.

– J'aime soumettre à l'épreuve du temps les plus belles aventures de ma vie. C'est un comportement suicidaire, mais sans doute voulais-je par là me débarrasser de mes fantasmes. Je repris donc, quinze ans plus tard, le même chemin, à la recherche du petit village de carton-pâte. Mais, après trois jours d'efforts, je n'en retrouvai aucune trace.

– Et alors? lui demanda Saïd.

– J'avais tout inventé : Abdelkrim, la fête au chalet, la fille, le village. N'est-ce pas magnifique?

– Il est temps de dormir, conclut Saïd déçu en éteignant la lumière.

Après quelques minutes, la voix de Si Morice s'éleva dans l'obscurité.

– J'allais repartir, abandonnant là ces fantômes qui me poursuivaient depuis si longtemps, quand soudain la petite route s'offrit à moi. Je découvris le village et la maison. J'eus alors très peur. Me reconnaîtrait-Elle, avec mes cheveux grisonnants, ma silhouette épaissie et mon visage bouffi par l'abus d'alcool? Et surtout, après de si nombreuses années, comment allais-je la retrouver?

Si Morice se força à émettre une violente quinte de toux dans l'espoir de tenir éveillés ses compagnons.

– Vaine alarme. La maison était déserte, volets

clos, peinture écaillée, jardin envahi d'herbes folles. Elle avait quitté ce village de contes. Elle était sans doute mariée et mère de petits morveux criards et turbulents. Ses grossesses répétées avaient dû forcir sa taille et gonfler son bas-ventre. Les lessives chaque jour recommencées n'avaient pu qu'abîmer ses fines mains. Devenue une laborieuse ménagère, il n'était plus question pour Elle de rester deux heures dans sa salle de bains. Des repas à préparer à l'abondante vaisselle, la fuite du temps ne s'identifiait plus pour Elle que dans l'usure du linge. Quelle pitié! Ainsi meurent les plus beaux rêves, je l'avais bien cherché!

Palsec crut percevoir le bruit d'un sanglot.

– Tu peux te reposer, murmura-t-il, tout le monde dort.

– Je repartais tête basse lorsque j'entendis crier mon nom. J'eus juste le temps de me retourner pour la recevoir dans mes bras. Elle m'avait attendu durant toutes ces années. Comment était-ce possible? Bien plus étrange encore : Elle était restée aussi jeune et ravissante qu'autrefois... Quelle merveilleuse histoire, n'est-ce pas?

12

– Il va falloir que tu me suives, annonça El Msili à Kader.

Le médecin venait d'arriver.

– Pour aller où ?

– Tu le sauras toujours assez tôt. Tu n'as pas voulu prendre en compte mes avertissements. Tu as eu tort.

Kader eut un hochement de tête en signe d'assentiment. Il découvrit avec étonnement qu'il n'avait pas peur.

Une fourgonnette attendait devant la porte du pavillon. Kader y grimpa sous la poussée d'El Msili. Deux hommes armés étaient assis à l'intérieur de l'habitacle. La voiture démarra aussitôt. On lia les mains du jeune homme. On lui plaça un bandeau sur les yeux. Il se laissa faire sans résister.

Kader s'était toujours demandé comment il se comporterait s'il devait se retrouver en détention. Il doutait de supporter le sordide de la condition carcérale. Son corps et son esprit étaient d'une frilosité particulière. Il avait besoin de les soumettre chaque matin à une sorte de rite hiératique. Ce n'était qu'à la fin de ce cérémonial que ses membres acceptaient de lui obéir et que commençait à s'alléger le poids de sa tête. Que ferait-il s'il devait subir un mode de vie plus rigoureux? Comment s'allonger sur une dalle de ciment alors qu'il était certain que l'humidité et le froid ranimeraient son rhumatisme d'enfance? Saurait-il s'endormir juste après l'extinction des feux? Lui serait-il permis d'aller aux toilettes en dehors des horaires autorisés? Pouvait-on boire dès qu'on avait soif? Toutes ces questions dérisoires tourmentaient Kader, allongé sur le plancher cahotant du véhicule, alors qu'il ignorait encore tout du sort qu'on lui réservait.

Lorsque s'abaissa le rideau du garage où on venait de le pousser, Kader éprouva un sentiment d'effroi. Il se débarrassa de son bandeau. Alors, lentement, à mesure que ses yeux s'accommodaient à la lumière parcimonieuse de l'ampoule, il se surprit à sourire. Il devina qu'il saurait faire face à la pire adversité.

Cinq autres prisonniers étaient là.

– Tu sais jouer à la belote? lui demanda un garçon d'une quinzaine d'années. Mes compagnons sont des ignares.

L'adolescent était assis en tailleur dans un coin de la salle et tentait une réussite. Kader s'installa auprès de lui.

– Je veux bien te servir de partenaire si tu ne triches pas.

– Cela n'aurait plus aucun charme. As-tu une cigarette ?

– Je ne fume pas.

Kader enleva sa veste et la roula en guise d'oreiller.

– Je vais enfin dormir tout mon soûl.

– Veux-tu que je casse l'ampoule ? lui proposa l'amateur de cartes en ôtant une chaussure.

– Ce n'est pas nécessaire. J'ai l'habitude de la lumière.

Kader s'allongea sur le ciment et ferma les yeux.

– Pourquoi es-tu là ? demanda-t-il à l'adolescent.

– J'ai chipé un tapis.

– Je ne vois pas le rapport avec ta présence ici.

– C'était dans une mosquée.

Le garçon ajouta que le tribunal islamique venait de le condamner à avoir la main coupée.

– Cela n'a pas l'air de t'affecter outre mesure.

Le voleur manifestait un fatalisme surprenant pour son âge. Il considérait que les hommes accordaient bien trop d'importance à la vie. On lui avait dit qu'à six mois, il avait failli être emporté par la rougeole. Son père était mort d'un simple arrêt cardiaque. Il se souvenait d'une chute qui aurait dû lui valoir une paraplégie. Il n'ignorait pas que, chaque jour, des centaines de personnes se retrouvaient estropiées à la suite d'un accident.

– Je ne serai qu'un infirme de plus.

Kader s'endormit.

Etait-ce un lointain murmure, une plainte assourdie, un gémissement souterrain? Kader redressa le buste. Dans un coin du garage, un homme s'était mis à psalmodier des versets du Coran sur un ton de lamentation. Il faisait penser aux pleureuses professionnelles que l'on recrutait pour les enterrements. A ses fréquents reniflements, on devinait qu'il pleurait en récitant.

– Qu'est-ce qu'il a?

– C'est un des leurs, lui répondit son voisin.

Il était accusé d'hérésie. On avait estimé que ses prêches s'écartaient par trop souvent de la ligne officielle. Il ne comprenait pas : il ne faisait que répéter la parole divine. Il ne parvenait pas à admettre qu'on pût censurer le texte sacré.

– Son cas est bien plus grave que le mien.

– Les dissidents sont plus dangereux que les adversaires, murmura Kader.

Tête détournée, Kader refusait de répondre aux deux inquisiteurs du tribunal. Dès sa comparution, il leur avait dénié le droit de l'interroger. Il se rendit compte que son attitude n'avait réussi qu'à tremper leur détermination. Il ne risquait pas de bénéficier de circonstances atténuantes.

– Reconnais-tu avoir volé les dossiers ?
– Dis la vérité.
– Où les as-tu mis ?
– Il te faut mériter notre indulgence.
– Qui t'en a donné l'ordre ?
– Tu as été trompé.
– Qu'avais-tu à cacher ?
– Pour ton bien, tu dois tout avouer.
– Quels sont tes complices ?
– Il faut nous faire confiance, nous ne te voulons aucun mal.
– Accomplis-tu ton devoir religieux ?
– Nous sommes là pour t'aider.
– Où travaille ton père ?

Kader s'était promis de garder sa sérénité. Mais, en dépit de ses efforts, lorsqu'on évoqua son père assassiné, il eut les larmes aux yeux. Il se contenta de fixer le juge qui se tenait assis entre les deux hommes et qui avait choisi de se taire. Kader avait mis du temps à reconnaître cette tête affublée d'un bonnet afghan, ce visage envahi par une barbe broussailleuse.

Son frère Hocine, disparu à Paris, était là, le visage impassible.

Les deux assesseurs, estimant avoir réussi à briser la résistance de Kader, redoublèrent d'ardeur. Mais le médecin persistait dans son mutisme. Il pleurait au souvenir de ce père qui avait payé de sa vie son combat pour la liberté. Il pleurait de rage devant les insinuations de deux jeunes illuminés qui s'évertuaient à salir sa mémoire avec le tacite accord de son fils aîné, érigé procureur. Il songeait à sa mère. Qu'éprouverait-elle en apprenant que Hocine leur avait délibérément laissé croire à sa mort?

De guerre lasse, les deux instructeurs mirent fin à l'audition. Leur conviction était faite. Ils se retirèrent, abandonnant Hocine face à Kader.

Le médecin fixait son juge d'un air outré.

– As-tu osé leur avouer que tu es mon frère?

– Tu fais erreur. Je ne suis pas ton frère.

Kader ne sut pourquoi un souvenir s'imposa soudain à son esprit. Enfant, il s'était un jour aventuré seul dans les ruelles de Tanger et s'était égaré dans le dédale de la vieille ville. Après bien des tentatives pour retrouver son chemin, il s'était assis, épuisé, dans l'angle d'une porte cochère et s'était mis à sangloter. Il était seul au monde et se croyait déjà l'otage des barbaresques. Leur chef ressemblait en tout point au portrait de la couverture du livre qu'il avait lu la veille. Et puis il vit Hocine débouler d'un escalier, hors d'haleine, et le soulever à bout de bras. Leurs rires mêlés disaient le soulagement de l'un et la joie de l'autre.

– Tu n'as même pas eu l'idée de rendre visite à ta mère. Cela fait si longtemps qu'elle ne t'a pas vu. Elle a beaucoup vieilli, tu sais. Ce n'est plus qu'un petit bout de femme. Je crois qu'elle rétrécit au chagrin, et l'annonce de ta disparition l'a bien affectée.

Hocine tenait à s'expliquer.

– J'étais interdit de séjour au pays, comme tu sais, à la suite du procès que j'ai intenté contre mon employeur pour licenciement abusif. Un obscur bureaucrate a donc décidé de me bannir à jamais.

– Pas de nos cœurs.

– N'oublie pas que ceux qui occupent le pouvoir sont les commanditaires de l'assassinat de notre père. Ils ont même réussi à me priver de ma mère. Les Frères m'avaient promis le retour et la fin de mon exil. Je les ai donc suivis. Avec eux, je me bats contre l'injustice.

– En bonnet afghan?

– Combien d'autres ont adopté la casquette de Staline ou la tenue Mao?

– Qui t'a emmené dans ce pays médiéval pour t'endoctriner et t'entraîner? Qui a payé? Tu n'es que l'instrument d'une ambition politique.

– Je peux t'opposer le même argument.

– Nul homme ne me contraindrait à juger mon propre frère. Vous êtes les enfants de la haine. Un désir de vengeance ne peut fonder une nation, sauf à la précipiter dans une démarche suicidaire. Tu sais bien que je suis l'auteur du vol des dossiers. De nombreux amis m'ont aidé. Ce sont eux, mes frères.

– Il nous faudra donc te condamner.

– Ce sont tous ceux qui refusent votre ordre que vous voulez condamner. Et Leïla, ta femme? Lui promets-tu le même sort?

Hocine se rembrunit aussitôt.

– Tu n'aurais pas dû parler d'elle.

Kader ne comprenait pas.

– Je sais qu'elle est tombée amoureuse de toi dès qu'elle t'a vu. Je n'ignorais rien de vos escapades, de vos apartés, de vos discussions, de vos tendres confidences. Je te le dis franchement : je ne pouvais pas admettre que mon frère baise ma femme.

Blessé au plus sensible de son être, Kader eut une moue douloureuse.

– Tu me soupçonnes de l'avoir fait? Tu as pu le penser?

Le médecin avait l'impression d'être face à un monstre. Il se demandait quelles sordides idées tourmentaient ce frère qu'il croyait pourtant bien connaître.

– Te voici promu juge islamique. Quelle surprise! Et tu as condamné un enfant à avoir la main coupée. A quel verdict dois-je m'attendre? Serai-je puni pour subtilisation de documents ou pour l'inceste que je suis censé avoir commis?

Kader passait de la consternation à la révolte.

– Mais qui êtes-vous donc? Craignez-vous vraiment la colère de ce Dieu dont vous ne cessez d'invoquer le nom? Vous n'avez rien d'humain. Vous ressemblez aux créatures hideuses qui peuplent nos cauchemars. Il vous faudra bien rendre compte de cette immense imposture. A l'heure du Jugement dernier, tu auras plus peur que moi, je le sais.

– Qu'allez-vous faire ?

Ils sont là, tête basse, autour de Louisa, gauches comme des pantins.

– Je vous répète que Kader a été enlevé.

Ils n'osent affronter son noir regard.

– C'est votre ami, non ?

Mains dans les poches, Saïd oscille comme un arbre scié à la base. Il se sent étiré, immense. Sa tête est si loin du sol. Il a le vertige. Il ne peut plus supporter le ton véhément de Louisa. Il a envie d'entourer d'un bras protecteur les épaules de la jeune fille afin de l'apaiser.

Si Morice se contente de marmonner de sombres représailles. Il parle de reprendre le maquis, de rameuter tous ses anciens compagnons, de mettre le pays à feu et à sang, d'assassiner tous les bigots de la terre, de lapider le soleil, de faire éclater la lune.

Louisa leur tourne le dos et s'éloigne en sanglotant.

Vers la tombée de la nuit, Nacer rejoignit les réfugiés de la remorque. En réponse aux regards interrogateurs, il fit un signe de dénégation. La barbe de Si Morice tremblait de fureur.

– Ce sont pourtant tes amis.

– Personne ne sait qui a commandité le rapt de Kader, encore moins l'endroit où il est détenu.

El Msili et ses sbires ne sont que des exécutants.

La canne du vieillard se faisait menaçante.

– Leurs fariboles ont fini par t'aveugler. Ils parlent comme des saints mais agissent comme des malfrats.

Si Morice s'agitait comme un fou. Le bout de son bâton malmenait la paroi métallique.

– Suis-moi, ordonna-t-il soudain à Saïd. Et dépêche-toi de détacher la remorque. Nous partons en expédition.

Il opposa un refus catégorique à Nacer qui voulait les accompagner.

– Tu dois poursuivre ton enquête dans ton milieu de forbans. Ne reviens pas encore une fois bredouille.

– Buvez en silence, bande d'ivrognes, ou j'arrête de vous servir. Vous n'avez pas honte d'être là à vous enivrer, alors qu'à quelques mètres d'ici vos voisins sont en train de faire la révolution? Ils finiront par surgir dans mon antre et vous trucider sans vergogne.

Le brouhaha de la salle s'atténua sensiblement.

C'est à ce moment qu'on se mit à cogner avec violence contre la porte en fer. Le patron du troquet refusa de quitter son tabouret. Puis, excédé par le tapage, il alla ouvrir en se promettant de renvoyer l'importun après l'avoir abreuvé non de bière, mais d'injures.

L'homme eut la surprise de se retrouver le nez dans la barbe de Si Morice.

– Tiens, tiens, un revenant, grommela-t-il. Le whisky trafiqué et le mauvais vin n'ont pas encore eu raison de ton foie?

Aux glorieux temps du maquis, La Une s'était aussi, à l'instar de Si Morice, spécialisé dans le maniement des cisailles aux manches caoutchoutés. Les deux hommes avaient dû parfois unir leurs efforts pour ouvrir un passage à de gros convois ou à des personnalités, comme lors de l'arrivée de Belkacem. Ils profitaient souvent de la brèche ouverte pour aller de l'autre côté se procurer quelques bouteilles de vin. Mais La Une avait eu moins de chance que Si Morice. Il finit par se retrouver avec une jambe de bois, l'originale ayant été emportée par une mine. A l'indépendance, revenu dans son quartier natal, il s'était octroyé d'autorité, pour prix de son membre perdu, un café-bar abandonné par son propriétaire. Il connaissait bien le bistrot pour l'avoir assidûment fréquenté jusqu'au jour où il avait dû le faire voler en éclats sur ordre du FLN. En prenant possession du local, il avait constaté avec plaisir que le nouvel aménagement était plus luxueux. Il en avait fait le centre de libations le plus célèbre de la ville. Vers huit heures du soir, il mettait dehors ses clients occasionnels pour ne garder que les poivrots patentés. Il baissait alors le rideau et leur faisait face. Commençait alors à huis clos une formidable beuverie qui durait jusqu'à ce que se fût écroulé le dernier concurrent.

A cette époque heureuse, Si Morice lui rendait souvent visite. Il s'estimait en droit de consommer gratis en vertu de leur ancien compagnonnage.

– Pourquoi tu refuses de payer ? l'apostrophait l'infirme. Avec ce que tu ingurgites, tu vas me faire tomber en faillite.

– Tu sais bien que j'ai légué tous mes biens à l'Etat. Je suis désormais un authentique indigent.

Mais, quelques années plus tard, s'étaient mis à souffler les vents du puritanisme, porteurs d'aridité. Sous la pression des bigots qui réclamaient la fermeture de ce lieu de perdition, le maire s'avisa que La Une n'avait jamais payé d'impôts et ne possédait même pas de licence. L'unijambiste ignora l'arrêté qui lui ordonnait de mettre la clé sous la porte. Il disposa sa mitraillette sous le comptoir afin d'être prêt à recevoir dignement les policiers qui viendraient lui rappeler l'arrêté municipal. Après de nombreuses péripéties, ils conclurent un modus vivendi. Il fut convenu qu'il aurait un statut de bar clandestin.

La Une décrocha son enseigne, aveugla les vitres et ne servit que portes closes. Et puisqu'il se trouvait dans une nouvelle forme d'illégalité, il en profita pour doubler le prix de la bière.

Si Morice était l'un des rares à savoir que son sobriquet ne lui venait pas de sa jambe perdue. Un jour d'interminable soûlerie, l'estropié lui avait avoué :

– Je suis né avec un sexe lilliputien, pourvu d'une seule bourse plus rabougrie qu'une figue chue au pied de l'arbre. Mes copains d'enfance s'en sont vite rendu compte et m'ont affublé de ce surnom.

Mais il considérait que cette première infirmité lui avait simplifié l'existence. Femmes exclues de ses préoccupations, il avait pu se consacrer sans vergogne à son unique vice : l'alcool.

– Comme tu le sais, je bois sans désemparer depuis l'âge de vingt ans, et je reste toujours aussi solide. Ce qui est loin d'être ton cas. A l'époque de nos faits de gloire, tu te montrais plus résistant que les sangliers que tu fréquentais, alors que te voilà à tituber dès la quatrième bouteille de vin.

La Une estimait que sa situation ne comportait qu'un seul ennui : il ne savait plus quoi faire de sa fortune.

– Les billets continuent d'affluer dans mon tiroir, plus nombreux que mâles autour d'une fille qui viendrait à apparaître dans mon établissement. Impossible, en dépit de toute ma prodigalité, de dépenser le quart de ce que je gagne sans le moindre effort. Dépourvu d'héritier, mon fric risque d'échoir à l'Etat, ce qui me fait râler. Je crois que je vais financer la construction d'une mosquée.

La Une s'effaça pour permettre à Si Morice de pénétrer dans la salle enfumée, de nouveau bruyante.

– La grotte qui me servait d'abri est plus avenante que ce bar. Comment peux-tu vivre dans cette porcherie?

– Tu la connais pourtant bien. Ta lucidité est signe que tu n'as encore rien ingurgité.

La Une passa derrière le comptoir, saisit une bouteille de bière et se mit à cogner sur le zinc.

– Plus de bière! cria-t-il à la cantonade. On ferme! C'est fini pour aujourd'hui.

Les protestations de ceux qui estimaient ne pas avoir encore avalé leur dose quotidienne se mêlèrent aux appels véhéments de ceux qui espéraient être servis une dernière fois. Mais le garçon de salle, depuis longtemps excédé, n'attendait que ce signal. Il ignora les nouvelles commandes et exigea le paiement des consommations. La Une incita les retardataires à vider rapidement leur verre.

– On ferme! On ferme!

Lorsque le dernier client eut disparu, La Une ordonna au serveur de baisser le rideau. Il invita son visiteur à patienter, puis s'engouffra dans la cave pour resurgir muni de deux bouteilles de vin. Il les posa sur la table et déclara à son hôte :

– A nous deux. Cette cuvée date de l'époque où nos viticulteurs n'avaient pas encore perdu le savoir-faire des colons chez qui ils travaillaient.

Si Morice le fixa d'un air grave.

– Je ne suis pas venu pour boire.

– C'est bien la première fois! s'exclama La Une.

L'ancien cisailleur de barbelés eut un geste d'excuse envers son collègue.

– On a enlevé un de mes amis. Je n'ai pas l'intention de laisser cet acte impuni. J'ai donc décidé de battre le rappel de mes compagnons des temps glorieux. Je sais que nous avons vieilli et que nos articulations deviennent douloureuses, ainsi que nos réveils, à mesure que s'effilochent nos souvenirs. Mais j'ai perdu tout contact avec eux, car je ne suis plus qu'un vieux bourdon solitaire. C'est la raison pour laquelle je suis venu te voir.

L'unijambiste tenta de cacher sa jubilation.

– Tu as bien fait. Je t'informe que mon arme est toujours planquée sous le comptoir et que ma prothèse de bois ne me handicape nullement. Je suis des vôtres. Où allons-nous?

– Te souviens-tu de Belkacem, ce petit bonhomme que nous avions aidé à franchir les barbelés?

– Bien entendu. Tu m'avais appelé en renfort. Je te signale que c'est à cette occasion que j'ai perdu ma jambe.

– Sais-tu où il habite?

– Pas très loin d'ici.
– Si nous allions lui rendre visite? Je crois qu'il a un service à me rendre.

Les deux hommes rejoignirent Saïd qui patientait dans le tracteur de son camion.
– En route! hurla Si Morice qui semblait avoir recouvré l'exubérance de sa jeunesse.
Ouvrant la porte, Belkacem crut accueillir des fantômes. D'un coup d'épaule, Si Morice se fraya passage. Il alla s'installer dans un fauteuil qui semblait l'attendre. La Une aligna sa jambe de bois sur la canne du vieillard.
– Je vois que tu es bien loti, constata Si Morice après une rapide inspection. Tu dois donc disposer de whisky. J'en prendrais bien un verre.
Si Morice exultait. Il renouait avec la vie nocturne et son aventureuse jeunesse. Il retrouvait ses compagnons d'antan.
Jambes détendues, il exigea des glaçons.
– Nous sommes venus te demander ton aide.
Belkacem ne pouvait rien faire, mais il proposa de les emmener chez un de ses puissants amis. Il saisit son téléphone et l'appela.
– Ne quitte pas ton antre, lui dit-il. Des amis ont besoin de toi. Nous arrivons.

Dans le décor austère du bureau, les quatre intrus semblaient réchappés d'une cour des miracles.

Face à Abdelkrim, Si Morice avait subitement retrouvé sa lucidité.

– Tiens, tiens. J'ai l'impression de vous avoir vu quelque part.

Ce dernier le gratifia d'un sourire ironique.

– Tu as mal vieilli.

Si Morice ne parvenait pas à se remémorer les circonstances de sa rencontre avec l'homme qui venait de leur ouvrir la porte. Sa mine intriguée suscita le mot salvateur :

– Ifrane!

Et des souvenirs fulgurants assaillirent l'esprit du vieil homme. Tanger et ses hôtels déserts, et puis la folle escapade et sa rencontre avec celle dont il ne sut jamais le nom.

– La fête servait de prétexte, avoua Abdelkrim. Elle couvrait une réunion d'état-major. Tu as côtoyé sans le savoir quelques-uns des plus importants dirigeants du FLN.

– Je sais maintenant pourquoi j'avais l'obscur pressentiment d'avoir rencontré un fils de pute. Tu m'as bien berné!

– Je reste à ton service. Que puis-je pour toi?

– On a enlevé un de mes amis. Belkacem prétend que tu sais tout sur tout. On est donc venu te rendre visite.

– Pour le moment, je vous conseille de terminer la nuit avec moi. Les rues d'Alger vont bientôt être encombrées par des chars vert-de-gris.

– Comment cela?

– Dans quelques heures, l'état de siège sera déclaré. L'armée a décidé de nettoyer les places de la ville. Les groupes d'intervention spéciale sont déjà en train d'investir les repaires intégristes. Si votre ami est vivant, il ne tardera pas à être libéré.

– C'est un garçon qui m'est très cher, avoua Si Morice. Son père est mort assassiné à Tanger, peu de jours après mon arrivée.

Abdelkrim craignait de comprendre ce que venait de lui révéler le vieillard. Il se souvint de son chef de réseau qui avait été étranglé dans une chambre d'hôtel. Le meurtre avait été imputé aux services secrets français. Il devina que l'otage des intégristes était son fils. Il fixa longuement le disert compagnon de son escapade à Ifrane, s'interrogeant sur ce qui pouvait le rattacher à l'assassinat.

– Mais puisque nous ne pouvons pas sortir...

Si Morice s'allongea sur le tapis et sortit la bouteille de whisky qu'il avait subtilisée au moment de partir de chez Belkacem. Il se mit à la sucer sans vergogne et ne tarda pas à délirer.

– Si vous acceptez de me suivre, nous irons rejoindre la forêt protectrice. En chemin, nous ferons provision d'armes, de recrues et de figues sèches. L'humidité nocturne ne manquera pas de faire souffrir mes vieilles articulations. Sans me tancer, vous me laisserez fumer l'herbe qui atténue la douleur. J'aurai des matins difficiles. Vous ferez preuve envers moi de l'indulgence que l'on doit aux patriarches. Votre amicale prévenance m'évitera de sombrer dans les limbes des faux paradis et vos bras fraternels m'aideront à me relever lorsque viendra l'heure d'éteindre le feu du bivouac pour reprendre la marche. Au sein de la forêt, il nous faudra être sans concession, mais néanmoins cultiver la solidarité. Nous nous habillerons de noir et, comme moi, vous laisserez pousser vos barbes. Ce sera signe de notre révolte. Il faudra qu'on puisse nous reconnaître de loin, en voyant nos ombres se dissoudre dans la nuit. Vous ne raserez vos joues qu'au jour de la victoire. Nous respecterons les arbres, les oiseaux, et les hommes des bois qui auront choisi de ne pas nous rejoindre. Bien entendu, nous serons contraints de publier notre credo politique. Il devra se limiter à une page dactylographiée. Notre lapidaire profession de foi suscitera de nombreux quiproquos, mais cela ne pourra que nous servir. Pour ce faire, nous recruterons quelques scribes qui, sitôt leur rédaction achevée, seront pendus aux branches d'un caroubier. Ce sera le seul moyen de leur éviter des tentations hégémoniques. Ils seront prévenus dès le début du sort qui les attendra et resteront libres de refuser sans craindre nos représailles. Nos affidés seront sévèrement sélectionnés. Nos questions sauront débusquer leurs plus intimes secrets. C'est qu'il nous faudra redouter leur lassitude, prélude à toutes les trahisons. Nous n'accepterons ni chefs ni responsables, encore moins ceux qu'on désigne sous le nom de secrétaires ou de porte-parole. Nous interdirons l'usage de l'écriture, condamnant ainsi nos actes et nos dires à la volatilité. Ce sera une mesure d'humilité. L'ambition se fonde toujours sur un souci de permanence. Nous pratiquerons sans faiblir un terrorisme radical. Notre apparition provoquera partout une peur panique. Nous assassinerons nos ennemis en toute clarté de conscience. Les tenants du pouvoir constitueront notre cible privilégiée. J'ai connu beaucoup d'entre eux. Ce sont des couards. La peur les rendra insomniaques. Ils vivront barricadés dans leurs antres dépourvus de fenêtres, à ne plus pouvoir distinguer le jour de la nuit. Nous infiltrerons tous leurs services de sécurité, faisant régner parmi eux une suspicion généralisée. Ils n'oseront plus visiter leurs épouses, de peur de tomber dans une embuscade. Mais nous devrons épargner les innocents. Je sais que c'est bien difficile, parce qu'il nous faudra être juge et partie. Les femmes qui nous accompagneront, pleines d'abnégation, sauront se dévouer. Elles déploieront leur art secret pour fasciner ces satyres et les attirer dans nos rets. Une fois entre nos mains, nous laisserons les loups les déchiqueter vivants. C'est tout ce qu'ils méritent. Nous imposerons une stricte égalité entre les sexes. Mais je dois vous prévenir que nul ne pourra approcher nos vestales. Vous vous contenterez de les admirer de loin. Leurs rires embelliront vos rêves. Elles auront toutes la taille fine et de longs cheveux. C'est indispensable. Elles se baigneront nues dans l'eau des lacs en fredonnant des airs enchanteurs. Vous vivrez sous l'empire de leur charme et leur présence confortera vos convictions et votre combativité. Elles non plus n'auront pas le droit de vous aborder. Ma vigilance saura déjouer tous les stratagèmes qu'elles inventeront dans l'espoir de vous rencontrer. Elles se consumeront silencieusement d'amour pour vous et ne pourront que rêver des folles étreintes de vos bras aux muscles durs comprimant leur poitrine gonflée de désir. Je serai intraitable. Je vous jure que jamais vous ne les posséderez. C'est la seule méthode pour faire la révolution. Vous serez donc condamnés à la frustration. Et, après le feu et le carnage, l'endurance et la privation, nous nous retrouverons victorieux. Vous accéderez au pouvoir et je vous servirai de prophète débonnaire et sibyllin. Vous aurez le droit de placarder mon effigie sur les murs, mais je ne veux pas de statues. Ainsi, les iconoclastes qui un jour ou l'autre vous supplanteront n'auront pas le loisir de les déboulonner afin de symboliser par ce geste le début d'une ère nouvelle. Vous aussi, dès votre arrivée, vous ferez table rase du passé. Vous proclamerez la fin du culte de la personnalité et l'institution d'une direction collégiale. Évidemment, les plus ambitieux d'entre vous ne tarderont pas à s'entre-déchirer, recouvrant leur férocité des temps de la forêt et de la révolte. Chacun des rivaux voudra se placer sous la protection de ma barbe en se revendiquant de moi. Mais je ne prendrai pas parti. Mon équivoque mutisme favorisera les plus cyniques. Décidément immortel, en dépit de mon âge, à l'heure du crépuscule je reprendrai le chemin de la forêt, suivi de toutes mes vestales. Vous ne garderez d'elles que leur parfum vaporeux car elles se seront toujours refusées à vous, en dépit des ors et lambris de vos palais. Lorsque vous aurez épuisé vos turpitudes et que vous étreindra une immense lassitude, vous relèverez les rideaux des fenêtres de vos bureaux climatisés pour laisser pénétrer le jour. Après avoir respiré quelques goulées d'air libre, vous vous en irez sans rien dire à vos courtisans. Vous referez en solitaires le chemin de la forêt. Mes vierges, qui vous auront patiemment attendus, s'élanceront vers vous, bras tendus, cheveux au vent. Avec elles, vous vivrez un amour indicible et un bonheur sans mémoire.

Et Kader retrouvera Louisa pantelante de tendresse. Elle lui dira les longues nuits de l'absence et les tortures du doute. Affamés l'un de l'autre, ils s'enfonceront au plus sombre de la forêt. Enfin seuls au monde, dans la nuit indulgente et complice, ils retrouveront ces gestes soyeux que la tendresse invente. Leurs paumes, sensibles et timides à l'excès, iront à l'aveuglette découvrir un corps soudain ductile et constellé de frissons, offert et pourtant craintif. Kader soulèvera la nuque de Louisa pour boire à la source de jouvence. Depuis si longtemps l'un à l'autre promis, depuis si longtemps l'un à l'autre interdits, ils souffriront de ne pouvoir s'épuiser et, condamnés à la cécité nocturne, se contenteront de s'épuiser du geste. Leur mutuelle miséricorde les lavera des souillures du passé et du malheur. Ils redeviendront neufs et amnésiques. Louisa oubliera ses errances et Kader pardonnera, absoudra l'assassin de son père.

Jamais, plus jamais nous ne les reverrons.

Il me sera alors enfin permis de mourir. Je m'en irai sur le dos d'un papillon en saluant de la main tous ceux qui furent mes amis.

13

Après le départ de Si Morice et du routier, Palsec s'éclipsa sans un mot, abandonnant Rabah dans la remorque. Dépité d'être tenu à l'écart, le déserteur s'endormit aussitôt.

Il fut réveillé par un sourd grondement qui faisait trembler les parois de l'habitacle. Le bruit l'incita à sortir. Il put ainsi assister à un spectacle grandiose et effrayant. Les rues de la ville accueillaient un immense ballet de véhicules militaires et de troupes qui prenaient possession des principaux carrefours, sous la direction d'étranges chorégraphes dont les ordres étaient noyés par le fond sonore. Ces mimes qui orchestraient la représentation nocturne ressemblaient à des lutins diaboliques et expéditifs. Des voitures hérissées d'armes défilaient à vive allure. Les chars prenaient position. Les soldats qui débarquaient se faufilaient le long des immeubles. Dans le ciel, les hélicoptères surveillaient le gigantesque déploiement. En dépit du vacarme, aucune fenêtre des immeubles avoisinants ne s'ouvrit. Rabah comprit que la peur était un puissant soporifique.

On entendit bientôt quelques tirs sporadiques auxquels des rafales nourries donnèrent la réplique. Aux éclairs rouges qui striaient le ciel, Rabah devina que l'armée prenait d'assaut la place occupée par les islamistes.

Il rejoignit la remorque et s'y enferma. Des râles lancinants le tirèrent de sa somnolence troublée. Il sortit. Dans la prime lueur de l'aube, il distingua un corps qui gisait à quelques dizaines de mètres. C'était Palsec. Il le saisit dans ses bras et le porta dans l'abri.

L'adolescent avait le ventre en bouillie. Il souffrait horriblement en dépit de son rictus crâneur. Rabah ne pouvait songer à le transporter jusqu'à l'hôpital. Il se souvint que dans un proche immeuble se trouvait le cabinet d'un médecin.

Le vieil homme accepta sans rechigner d'accompagner Rabah. Après avoir examiné le garçon, il secoua la tête d'un air accablé.

– On ne peut rien faire. Il a reçu plusieurs balles explosives.

La douleur refluant sous l'effet de la morphine, Palsec retrouva sa mine espiègle. Rabah était assis à son chevet.

– J'ai repéré l'endroit où l'on tient Kader prisonnier. Mes errances m'ont appris à connaître tous les coins louches de la ville. Je me doutais depuis longtemps que cet immense garage qui semblait désaffecté devait abriter quelque activité occulte. J'avais d'abord pensé à la drogue.

Sur le chemin du retour, il s'était trouvé pris sous le feu d'un petit groupe d'hommes qui tiraient à l'aveuglette.

– Etaient-ce des soldats?

– Aucune idée. Je ne voyais que des ombres.

Il eut une moue de dérision en songeant qu'on l'avait toujours traité de caméléon pour son aptitude à passer inaperçu. Il avait même été affublé du sobriquet de Pal/Secam, bientôt contracté en Palsec, tant il lui était aisé de changer de couleur.

Rabah lui tenait les mains pour l'empêcher de palper son abdomen. Le blessé avait la sensation d'être guéri. Son compagnon n'osait bouger en dépit de la rigole de sang qui mouillait sa cuisse.

– Au retour de Si Morice, nous irons délivrer Kader. Nous le convaincrons de te prêter sa mitraillette. Tu dois savoir l'utiliser, puisque tu as accompli ton instruction militaire. Et nous serons de nouveau réunis.

Le regard du garçon devenait extatique.

– Nous le sauverons. Je vois déjà Si Morice, euphorique, en profiter pour nous raconter une autre tranche de sa vie.

Louisa avait passé toute la nuit à se morfondre, seule dans l'appartement. Chaque bruit de pas dans l'escalier suscitait en elle un espoir.

Lorsqu'il ouvrit la porte, Kader l'aperçut dormant dans un fauteuil, tête penchée sur l'épaule comme un petit oiseau mort. Réveillée en sursaut, elle s'élança vers lui. Bras ouverts, Kader eut de la peine à contenir sa fougue. Ils s'étreignirent avec désespoir, dans leur hâte de reconquérir les secrets espaces épaissis par l'absence, de retrouver les gestes connus, les territoires explorés, les frissons attendus.

Ils s'aimèrent avec un sombre acharnement. Après la ruée du désir exacerbé par l'angoisse, ils se retrouvèrent épuisés et pantelants, leurs rêves surnageant sur les eaux mortes, orphelins du reflux.

Louisa voulait tout savoir par le détail. Kader détestait se raconter. Elle prit ses réticences pour de la froideur. Toujours prompte à sortir ses griffes, elle commença à l'assaillir. Kader aurait aimé dormir en la serrant dans ses bras pour éprouver encore le velours de sa peau. Mais elle quitta le lit. A son tour, il dut se résoudre à se lever. Mouvements infiniment pénibles. Louisa si agressive, alors qu'il n'espérait qu'un moment de répit.

Il déteste être harcelé. Il a envie de se rebiffer. Mais il a peur de l'offusquer. Il rêve de lui murmurer tendrement :

– Louisa ma belle, Louisa ma tendre, donne-moi le loisir de t'aborder au déclin de tes révoltes. Concluons une trêve. Allons marcher dans la forêt. Allongé sur un tapis d'aiguilles de pin, ma tête reposant sur tes cuisses, je te dirai tout, de mon premier souvenir d'enfant à la force du sentiment qui noue ma gorge. C'est de ne pas t'avoir connue plus tôt qui me frustre. Tu m'as révélé à moi-même et je bénis le hasard qui m'a permis de te rencontrer. Ne t'en va pas, s'il te plaît.

Mais elle a déjà refermé le sac où elle vient d'engouffrer ses affaires. Elle est sortie sans qu'il ait eu le temps d'esquisser un geste.

Il se consola à l'idée qu'il allait la retrouver à l'hôpital, sans doute apaisée, peut-être de nouveau aimante.

Lorsque le médecin rejoignit les occupants de la remorque, il les trouva assemblés autour du cadavre de Palsec.

Rabah pleurait comme un enfant. Nacer ne cessait de psalmodier des versets du Coran. Saïd restait prostré dans un coin. Si Morice n'avait pas encore recouvré sa lucidité et continuait à divaguer.

– Je le sens, je le sais, c'est l'heure de tous les règlements de comptes. Le moment est venu d'apurer ces conflits fraternels qui n'ont cessé de s'accumuler depuis des décennies. Je vous le prédis, beaucoup de sang va couler et pas seulement celui de ces illuminés dont les barbes ressemblent à la mienne...

– Cesse donc de déblatérer, vieillard, lui lança le routier avec hargne.

Nul ne semblait s'être aperçu de l'arrivée de Kader, lui qui croyait leur réserver une joyeuse surprise. Il s'assit auprès d'eux sans oser les interroger.

Ils viennent de terminer de creuser la tombe.

– Qui va réciter la prière des morts?

Nacer est épuisé par l'effort. Il ne cesse de tousser. Sa récitation est entrecoupée de fréquentes quintes. C'est à genoux qu'il prononce les derniers versets.

– C'était un bon garçon, déclare Si Morice en guise d'oraison funèbre. J'aurais bien aimé l'adopter.

Avec mille prévenances, on descend le corps de Palsec. Mais aucun d'entre eux ne se résout à saisir une pelle. Immobiles, ils baissent la tête. Qui va oser jeter sur lui la première motte de terre?

Il fallut demander le secours du gardien du cimetière. Ce dernier, soupçonneux, demanda à voir le permis d'inhumer. Les billets que lui tendit Kader tinrent lieu de certificat.

– J'ai eu beaucoup de clients aujourd'hui, leur

apprit-il. Et je ne crois pas qu'il s'agisse d'une épidémie.

Il alla chercher deux aides pour ensevelir Palsec. Il était tacitement convenu qu'aucun de ses anciens amis ne devait pleurer. Mais ils eurent bien de la peine à s'éloigner de la tombe.

Une fois de retour, Si Morice exigea une bouteille de whisky.

– Je n'en ai plus, lui certifia Saïd.

– Vous n'êtes que des incapables. Je sais que Palsec se serait débrouillé pour m'en procurer une. Je veux boire. Vous me devez le respect, eu égard à mon glorieux passé et à mon âge qui cumule toutes vos années.

Saïd était l'homme des ressources insoupçonnées. Après quelques minutes, il fut de retour, brandissant un sachet de bananes et une pleine fiole d'une liqueur inconnue.

– Je te rapporte, vieil ivrogne, de quoi assouvir ta faim et étancher ta soif.

– Qu'est-ce que c'est?

– Une boisson et des fruits exotiques.

– Des bananes? Je croyais ces fruits disparus de la surface du globe. Que contient le flacon?

– De l'absinthe.

– C'est impossible! Sa fabrication est interdite depuis si longtemps que le poivrot précoce que je fus n'a jamais pu en siroter.

– Ton père devait en raffoler.

– Je ne comprends pas.

– C'est un cadeau d'outre-tombe. Avec les compliments de Palsec.

– Explique-toi.

Palsec était un fouineur invétéré. Il avait découvert dans la cave de l'ex-immeuble de Si Morice une porte en fer dont personne n'avait eu l'idée de forcer la serrure. Le placard contenait plusieurs dizaines de bouteilles qui dormaient là depuis des lustres. Le garçon les avait transportées dans l'appartement de son tuteur où il avait déjà amoncelé des aliments de toutes sortes. Sa hantise de la faim, qu'il avait connue dès sa prime enfance, avait fait de lui une fourmi qui ne cessait d'accumuler les vivres.

Si Morice contemplait l'étiquette et jubilait à la pensée de cette réserve miraculeuse.

– C'est sûrement mon géniteur qui les avait stockées là.

– Qu'est devenu l'Albinos? demanda Kader à Si Morice qui venait d'entamer la bouteille.

Le vieil homme adressa un sourire reconnaissant au médecin dont la question lui offrait l'occasion de reprendre son récit.

– Le faux blond fut très déçu par l'annonce du cessez-le-feu. Il se voyait déjà au chômage. Comme il n'aimait pas rester inactif, il abonda en commentaires pessimistes. Mais sa rancœur fut de courte durée.

L'Albinos s'était réjoui de constater que de nombreux rivaux s'élançaient vers la course au pouvoir, les armes à la main. Il avait proposé ses services à tous les concurrents, fait le coup de feu de-ci de-là, sans réel enthousiasme. Il changeait de camp plus souvent que de chemise. Il cherchait le parti le plus faible.

– C'est chez les futurs vaincus qu'on s'amuse le plus, affirmait-il. Les plus forts pensent déjà à l'avenir. Ils veulent faire sérieux. Ils ne parlent que de vertu. C'est qu'ils préparent nos cous pour le joug à venir.

Cependant, au grand dam de l'éternel rigolard, la guerre fratricide s'était achevée en queue de poisson. L'Albinos se retrouva les bras ballants. Lors de la naissance, un an plus tard, du maquis kabyle, l'homme aux cheveux blancs se hâta de proposer ses compétences aux chefs de la sédition. Le premier responsable rencontré lui dit, reluquant sa face hilare :

– A ta tête, on voit bien que tu n'es pas de chez nous. Tire-toi.

Il se tira. Il traîna longtemps, les yeux faussement larmoyants. Après mille intercessions, il parvint à se faire recruter comme garde du corps d'un leader palestinien. Il se retrouva donc à Beyrouth.

– Je ne le revis que bien des années plus tard, un jour où son protégé vint visiter notre pays, précisa Si Morice.

Le nouvel emploi de l'Albinos comblait tous ses désirs.

– C'est super, assurait-il. Il ne se passe pas de semaine sans qu'il y ait un attentat contre mon patron. On change de gîte tous les jours. Après les grottes du maquis algérien, j'écume désormais les grands hôtels de Beyrouth. Le Liban est un pays merveilleux : je n'y ai rencontré aucun albinos. C'est te dire le succès que je remporte auprès des femmes.

Il se montra si efficace que le Mossad décida de l'éliminer avant de s'en prendre à son employeur. Mais il échappa à tous les traquenards.

– C'est durant la guerre civile qu'une balle perdue lui troua le front, figeant à jamais son sourire carnavalesque. Son corps fut rapatrié et j'eus plaisir à assister à son enterrement.

– Tu es sûr? insista Kader.

– Je ne suis pas sénile, et pas encore ivre!

Songeur, Kader se releva lentement pour se réfugier au fond de la remorque. Saïd, intrigué par l'attitude de son ami, ne tarda pas à le suivre.

– Pourquoi toutes ces questions à Si Morice?

– L'homme qui a soulevé le rideau du garage pour nous libérer correspondait étrangement à la description que nous a donnée Si Morice de son compagnon.

– Tu sais bien que tous ces faux blonds se ressemblent.

Rabah les rejoignit pour leur dire :

– Le capitaine de la police militaire qui

m'avait longtemps traqué dans le désert était albinos. Ce qu'on racontait sur lui à la caserne recoupe par bien des points le récit du vieil homme.

– Mais il vient de vous confirmer que cet homme est mort.

– En tout cas, mon albinos à moi est toujours vivant. Je dois m'en aller.

– Où donc?

– Le pays est vaste.

Il les quitta de manière si brusque qu'aucun n'eut le réflexe de le retenir. Il sauta allégrement du plateau de la remorque et disparut.

Rabah reprenait la route sans regret car il ne laissait rien derrière lui. Sans port d'attache, il n'acceptait les haltes que pour mieux reprendre son errance.

Si Morice était ivre mort. Il ne cessait de marmonner d'incompréhensibles propos. Les trois amis décidèrent de le ramener à son appartement. En retrouvant son décor familier, le vieillard eut un accès de lucidité.

– Le moment est venu de me libérer du secret que je porte depuis si longtemps. Il te concerne directement, mon cher Kader.

– Il est temps de se préparer à manger, suggéra le médecin. Tu nous raconteras après.

– Je n'ai rien à raconter, mais un fait à te

révéler : tu as devant toi l'un des assassins de ton père.

Kader s'en doutait depuis longtemps. Il en avait acquis la conviction lorsque Saïd lui avait rapporté le récit de l'équipée marocaine de Si Morice.

– L'autre, c'est l'Albinos. Nous avons surpris ton père durant son sommeil. Je lui emprisonnais les bras tandis que l'Albinos tirait sur la ficelle passée autour de son cou. C'était horrible.

– Reste tranquille, vieil homme. C'est du passé.

Kader observait ce fils de l'aristocratie que le sort avait transformé en pitoyable poivrot. Qui aurait pu prédire un tel itinéraire à l'enfant comblé qu'il avait été? Des hommes occultes avaient fait de lui un assassin et la vilenie de son acte ne devait plus cesser de le torturer. Kader songea que les commanditaires du crime n'étaient pas réduits à chercher l'oubli dans l'alcool. Il se demandait si le pays n'était pas en train de payer le prix des monstruosités autrefois commises au nom d'une cause juste. N'était-ce pas le passé qui resurgissait à la faveur des derniers événements? Le médecin se souvint de la phrase de Si Morice qui annonçait l'heure du règlement de tous les vieux comptes. Il craignait que le sang ne coulât encore, tout en estimant qu'il était temps que le pays se débarrassât des boulets qu'il traînait depuis si longtemps.

Kader ne pouvait s'empêcher d'éprouver de la

tendresse pour l'ancien cisailleur de barbelés. Il songea à Hocine qui s'était apprêté à le condamner et craignit de devoir lui préférer l'assassin de leur père.

Émergeant de son sommeil éthylique, Si Morice ouvrit les yeux sur la face ricanante de l'Albinos qui se tenait assis à son chevet. Il était en tenue militaire, les épaulettes décorées de trois étoiles.

– Salut, vieux forban.

Si Morice se redressa lentement, regrettant d'avoir rangé son arme.

– Je suis content de te revoir, poursuivit le capitaine. Dès mon arrivée à Alger, je me suis mis à ta recherche.

Si Morice observait ce diable blond qui semblait s'être donné pour mission de tourmenter sa vie. Il se souvenait d'avoir assisté à son enterrement avec un vague sentiment de regret, certes, mais sans peine réelle. Le revenant lui expliqua en jubilant que cette mise en scène était destinée à donner le change aux services secrets israéliens qui ne cessaient de le harceler. Il avait donc abandonné son employeur et s'était réfugié dans le désert où il avait repris du service dans la police militaire. Il s'était spécialisé dans la traque des déserteurs. De gibier, il devenait chasseur. La région pullulait de têtes brûlées qui avaient décidé de faire le mur de leur caserne pour échapper aux persécutions des sous-officiers. Il consacrait son temps à des traques infiniment patientes.

– Tu te souviens de notre chef de secteur? C'est lui qui avait organisé ces funérailles bidon. Le jour où, à ma grande surprise, il s'est assis en face de moi au mess des officiers, j'ai deviné que j'allais te revoir. On n'échappe pas à son passé. Il me chargea d'une mission très spéciale, après m'avoir révélé que nos troupes allaient bientôt recevoir l'ordre de marcher sur Alger.

Si Morice contemplait ce visage rubicond qui ignorait les ravages du temps. Au souvenir de leurs anciennes turpitudes, il eut un frisson rétroactif. Il prit conscience que leurs gestes inconséquents d'autrefois avaient semé les germes du mal qui rongeait le pays. Les yeux pleins de lumière, les descendants des guerriers berbères s'étaient lancés dans l'aventure avec la même fougue que leurs ancêtres chargeaient les légions romaines. Les acteurs de la formidable épopée ne pouvaient se douter qu'ils allaient vieillir. L'âge rend prudent. Les baroudeurs embourgeoisés tenaient à leur confort. Comme nul n'était exempt de reproches, chacun veillait sur ses secrets. Pour les préserver, certains ne refusaient pas de recourir à l'assassinat. C'est qu'ils ne souhaitaient pas que leurs jeunes et ravissantes épouses apprennent quelles exactions ils avaient commises dans le passé. Mais Si Morice sentait confusément que ces crimes avaient été perpétrés sans préméditation, dans l'ivresse de l'action. Meurtrier lui-même, il considérait qu'il avait surtout agi par forfanterie. Il aurait volontiers décrété une amnésie générale afin que cessassent les règlements de comptes, non pour bénéficier de l'impunité, mais dans l'espoir de voir la fin de tous les tourments. Il ne comprenait pas qu'un pays béni des dieux s'acharnât ainsi à se déchirer. Il estimait que ses compatriotes, enfin libres, auraient pu vivre heureux sous le soleil. Quelle immémoriale malédiction les condamnait donc à la discorde?

Il se souvient des matins blancs de lumière, comme une promesse d'amour, et de l'exubérance des vergers offrant leurs fruits aux passants. Et de la mer étale comme une amante au désir assouvi. Et des hirondelles striant le ciel. Le jasmin embaume le crépuscule. Avec le coucher du soleil vient l'indulgence. C'est l'heure où les oiseaux rejoignent leurs arbres. Les jardins s'emplissent de promeneurs et les charmilles bruissent de conciliabules amoureux. Femmes et fleurs sont épanouies. De toutes parts montent de tendres mélopées. C'est l'oubli des soucis. Ne subsiste que la tendresse. Les passants ont envie de s'embrasser.

L'Albinos le rappela à l'ordre :

– Il va falloir partir.

Si Morice lui proposa de vider auparavant la réserve d'absinthe.

– Je constate que tu es resté porté sur les liqueurs fortes.

Ce ne fut qu'à la tombée de la nuit que les deux hommes sortirent. Ils marchaient côte à côte, et l'on voyait un vieillard auprès d'un jeune homme, en dépit de leur faible différence d'âge. Si Morice était guilleret. Le moment qu'il n'avait cessé d'appeler de ses vœux était enfin venu. Il se dit qu'il avait bien fait de survivre jusque-là. Il arrivait au terme d'une aventure qu'il avait commencée en dévalisant le coffre-fort paternel. Il avait le sentiment d'avoir bénéficié de deux vies. Il y avait eu le freluquet insouciant, obsédé de conquêtes féminines et d'interminables libations, puis l'insolent baroudeur qui affectionnait les situations extrêmes. Il se rendait compte qu'il avait rejoint le maquis par goût de l'aventure plus que par patriotisme. C'était pour lui une manière d'étonner encore son père.

Il se souvint qu'il n'avait pu assister à l'enterrement de ses parents. Sa si fragile mère avait été emportée par une simple grippe. Le père ne s'était pas relevé d'une chute de cheval alors que Si Morice était occupé à trancher des barbelés. De retour au pays, il avait visité les deux tombes alignées côte à côte de ces éternels amants. Il comprit que par la grâce de l'amour, ils avaient connu un sort enviable, alors que le cabotin qu'il avait été n'avait jamais pu s'attacher. En pénétrant dans la maison familiale, il avait eu le sentiment d'être un intrus, comme s'il s'était introduit là par effraction, de la même façon que cette nuit où il avait emporté la cassette familiale. Bien qu'il fût né là, il sut que ce toit avait d'abord abrité leur idylle. Afin que nul ne l'usurpât, il ordonna de raser la construction. Il fit don à l'État des terres du domaine qu'adolescent il n'avait cessé d'écumer à cheval et qui, désormais, lui paraissaient plus mornes qu'un désert. Il n'ignorait pas que, ce faisant, il leur concédait à tout jamais le lieu de leur bonheur. Il considérait qu'il leur devait ce geste. Les étrangers qui en prendraient possession s'établiraient sur une terre vierge.

– Qu'ai-je donc fait de ma vie?

Il se sentait floué. La vie ne l'avait payé que de fallacieuses promesses. Il admettait cependant qu'il s'y était mal pris. Si sa proverbiale forfanterie lui avait servi de carapace, elle l'avait empêché de s'ouvrir à la tendresse. Il songea à Kader, le fils qu'il aurait aimé avoir.

– Je me suis contenté d'étrangler son père.

Il était certain que le jeune médecin trouverait le bonheur avec Louisa. Il aurait voulu leur léguer son appartement.

– Qui l'occupera désormais? Et que feront-ils des bouteilles d'absinthe dont je viens à peine d'hériter?

Si Morice considérait qu'à trop vouloir défier le

sinistre compagnon qui lui offrait trop volontiers le secours de son bras, il s'était fourvoyé.

– Cet Albinos est pire que le diable.

Il en vint à regretter ses frasques. Il suivait l'Albinos en songeant que la vie, au fil des ans, se chargeait décidément de tragique.

14

Hocine restait recroquevillé dans un coin de la pièce,.la mine renfrognée. Il avait rasé sa barbe et jeté aux orties son bonnet afghan. Kader constata qu'après l'assaut de l'armée, son frère n'avait pas tardé à retrouver le chemin de la maison pour s'y terrer. Il ne cessait d'observer ce qui se passait dans la rue. Il avait peur qu'on vînt l'arrêter. Kader ne pouvait se résoudre à gâcher la joie de sa mère qui fêtait le retour de son enfant depuis si longtemps absent. Il songeait à Palsec qui avait payé de sa vie son équipée nocturne à la recherche d'un médecin, lui, Kader, enlevé sur ordre de ce même frère. Il décida de rejoindre l'hôpital. Il avait hâte de retrouver Louisa.

Au moment où il ouvrait la porte, Hocine le fixa avec insistance. Il craignait d'être dénoncé. Kader leva un bras, sans doute pour signifier qu'il n'était pas du côté de l'ignominie. Il ne fut pas certain que son frère comprît son geste. Il referma lentement la porte, comme on referme un tombeau.

Il songeait à sa mère, sans doute déchirée. Elle était trop fine pour ne pas percevoir ce qui opposait ses deux enfants. Mais elle ne pouvait prendre parti.

Le professeur Meziane avait subi l'opération avec succès. Il se défendait de laisser paraître son euphorie, mais son regard pétillant trahissait sa joie.

– Je suis dépité à l'idée de devoir vous passer la main, lui dit Kader. A jouer au patron, j'ai commencé à y prendre goût.

– J'ai encore quelques années avant ma retraite. Il va falloir te montrer patient. Le temps que je mette en œuvre toutes les idées que je viens de noter dans mon carnet.

– Vaste programme!

– Comment ça s'est passé pour toi?

– Je ne sais si mon épreuve a été plus dure que la vôtre.

– J'aime notre métier, parce qu'en nous forçant à côtoyer la mort, il nous apprend à l'exorciser. Lorsqu'on parvient à franchir le cap, on éprouve un sentiment de surplus de vie, comme si l'on recevait un cadeau inespéré. Les viscères se détendent et le teint s'éclaircit. On se découvre plus indulgent au monde.

– Je vois que vous êtes en pleine forme. Je vous quitte. Je vais aller voir si notre pavillon a recouvré son anarchie habituelle.

Louisa et Néfissa occupaient le bureau de Kader, l'une et l'autre rayonnantes.

– Je remarque que beaucoup de gens guignent mon cagibi, observa Kader en entrant.

Il eut droit à deux larges sourires. Louisa semblait avoir tout oublié de leur dispute. Elle le fixait d'un regard qui ne laissait aucun doute sur la nature des sentiments qu'elle éprouvait pour lui.

– Tout est rentré dans l'ordre ? demanda-t-il à Néfissa.

– Presque. Le portier a repris son poste. El Msili a disparu.

– Que deviennent nos malades ?

L'enseignante avait été expulsée. Son amant avait pourtant fait venir un imam qui avait prononcé la fatiha légalisant l'union. Mais El Msili avait considéré que la faute commise auparavant ne pouvait être ainsi réparée. La jeune femme diabétique était morte. Les précieux sachets de sang étaient arrivés, mais, en dépit des instances de Néfissa, la femme qui dirigeait le service avait refusé l'opération.

– Allons rendre visite aux rescapées, proposa Kader.

Alors qu'il leur cédait le passage, Louisa lui vola un baiser.

Kader fut assailli par les infirmières qui le questionnèrent à propos de son rapt. Il fut tenté de jouer au héros miraculé. Le noir regard de Louisa l'en dissuada. Il se laissait accoster en souriant, puis, bousculé par ses accompagnatrices, poursuivait son chemin en s'excusant.

L'infirme était toujours là, tout aussi diserte.

– Tu as l'intention d'habiter chez nous? s'enquit Kader.

– Je partirai le jour où mon fils sera capable de me porter dans ses bras.

– Puisque nos remplaçants ne t'ont pas convaincue de déguerpir, il me faut désespérer d'y parvenir.

Kader passait d'un lit à l'autre. Comme de coutume, le plus jeune des infirmiers transportait la chaise qu'occupait le professeur Meziane au chevet des malades. Kader eut beau lui signifier qu'à son âge, il pouvait se dispenser de siège, l'homme continuait à le lui proposer à chaque halte.

Étranges consultations. C'étaient les parturientes qui interrogeaient l'obstétricien. Laconique comme de coutume, Kader rassurait par de courtes phrases. Le regard de Louisa s'assombrissait dès qu'elle constatait qu'il s'attardait plus que de raison auprès de l'une d'elles.

Vers midi, Louisa entrouvrit la porte du bureau pour glisser la tête.

– Je suis venue quémander un sandwich.

Comme je n'ai pas encore été payée, j'en suis réduite à demander l'aumône.

Ils sortirent.

Devant la roulotte, El Msili sirotait tranquillement son café. Il ne chercha pas à éviter le regard de Kader. Le médecin se dirigea vers lui.

– Tu es encore là?

– L'armée ne restera pas éternellement dans la rue. Nous attendons. Le moment venu, nous reviendrons.

– Une femme est morte par ta faute. Tu arrives à dormir la nuit?

– Mon fils est mort aussi. Il était asthmatique. Il n'a pas supporté la fumée des grenades. Il avait deux ans.

– Tu étais sans doute trop occupé pour l'amener à l'hôpital. Tu habites pourtant à deux pas d'ici.

– C'est un martyr. Allah ne lui fermera pas les portes du paradis.

– Je ne suis pas sûr, en revanche, qu'Il t'accorde l'hospitalité de Ses jardins!

Kader lui tourna le dos pour rejoindre Louisa.

– A son retour, ma mère a été étonnée de ne pas te retrouver. Elle veut te voir.

L'infirmière leva les yeux en souriant. Elle avait deviné l'objet de l'entretien. Elle eut envie de pleurer.

– Je vous soupçonne d'avoir tramé quelque chose dans mon dos, ajouta Kader.

Louisa étouffa un sanglot de bonheur. Et puis,

soudain, elle sentit se relâcher les muscles de ses jambes. Elle s'écroula sur le sol, et Kader, qui l'avait saisie aux aisselles, éprouva plus la douceur de ses seins que le poids de son corps.

– Allons voir la mer, proposa Hocine.

Kader venait de rentrer de l'hôpital. Il acquiesça.

Au moment de sortir, il entrouvrit la porte de la cuisine pour rassurer sa mère :

– Nous ne serons pas longs.

Ils traversèrent la place, désormais vidée de ses manifestants, esquivèrent les grilles du port, louvoyèrent parmi les blocs de ciment qui essayaient de résister à la lente sape des vagues recommencées.

Ils marchent sur le sable gris. Ils évoquent leurs souvenirs de Tanger. Ils s'éloignent de la ville. L'un et l'autre font semblant d'observer le vol des mouettes sur un fond de ciel qui s'assombrit.

Kader a bien compris. Il a remarqué la bosse qui déforme le qamis de son frère. Il a accepté la promenade parce qu'il a pressenti que Hocine n'aurait pas hésité à brandir son arme même en présence de leur mère.

Il décide de faire une pause. Son frère s'assied auprès de lui.

– Je n'avais pas eu le temps de t'informer de la sentence du tribunal.

– Je me doute un peu du verdict.
– Tu es condamné à mort.

Kader se sentit las. Il ne comprenait plus le monde dans lequel il vivait. Devant le déchaînement de ce nouveau mal, il restait désarmé. Sa pratique de médecin lui avait pourtant enseigné la nécessité de lutter pied à pied pour contenir les ravages d'une affection. Mais il ne savait pas se défendre contre la haine. On lui a appris les gestes qui sauvent, non pas ceux qui tuent, et il ne comprenait pas cette obscure perversion qui poussait tant de frères et de voisins à vouloir assassiner leurs frères et voisins. Il prit soudain conscience qu'un terrible monstre venait d'émerger des abysses et qu'il allait tout dévaster.

Il eut le sentiment qu'en dépit de son âge, il n'était plus qu'un survivant.

Avec la nuit qui tombait, il songea à Nacer qu'il avait dû reconduire de force vers son ancien hôpital. Après toutes ces nuits humides sur la place, il s'était remis à cracher du sang. En le voyant revenir, son médecin traitant lui avait dit :

– Je me doutais bien, en te laissant partir, que je ne tarderais pas à te retrouver. Tu es de ceux qui ne peuvent guérir.

– On vous a toujours appris, docteur, avait répondu Nacer, que vos traitements doivent agir sur la cause et non sur l'effet. Vous vous obstinez à soigner des individus quand la société est malade. Si vous voulez continuer à faire votre métier, il vous faudra prendre le pouvoir.

Le phtisiologue avait hoché la tête.

– Nous n'avons pas cette prétention. Nous nous contentons, selon nos modestes connaissances, de limiter les dégâts. Vos poumons sont mal en point, mais votre tête est plus gravement atteinte. Le mal qui la ronge dépasse mon savoir.

Kader se demanda si Nacer aurait accepté, sur ordre, de l'abattre. Il eut la conviction que jamais le tuberculeux n'aurait consenti à perpétrer un pareil acte. Ce jeune homme à la foi tardive ne rêvait que d'un monde fraternel.

Et puis il pensa à Si Morice, qui avait été l'assassin de son père. Il releva que les révolutions s'accommodaient on ne peut mieux du meurtre. Depuis la nuit des temps, combien avaient été sacrifiés à la folie des hommes? La nature de Kader l'avait toujours poussé à se ranger du côté des victimes. En avait-il été ainsi pour son père? Et pourtant, à l'idée de sa fin imminente, il n'éprouvait qu'une immense pitié pour ceux qui restaient. Il voyait l'obscurité les recouvrir comme un linceul et il ferma les yeux.

Aussitôt lui apparut l'image de Louisa. L'amour pouvait-il avoir sa place dans un monde ravagé par la discorde? À tout le moins, il regrettait de ne pouvoir continuer à panser les blessures de cet être meurtri. Il eut le sentiment que la paix de l'âme serait toujours inaccessible aux hommes.

Une question incongrue s'imposa à lui : qu'allait faire Hocine de son cadavre?

Kader avait toujours été traumatisé à l'idée de la mort de sa mère qu'il voyait vieillir. Il savait qu'il aurait été incapable d'accomplir les démarches nécessaires au rituel des obsèques : commander des laveuses de cadavre, inviter un imam à prononcer la prière des morts, payer des fossoyeurs pour creuser la tombe. En ce sens, il se sentit soulagé, puisqu'il allait disparaître avant elle.

Mais il prit soudain conscience de sa lâcheté. Comment sa mère allait-elle réagir à l'annonce de sa mort, elle qui ne s'était jamais remise de la disparition de son mari? A quoi pourrait-elle se raccrocher désormais?

Il se prit à rêver. Dans le petit appartement, il voyait Louisa rassérénée, enfin heureuse, choyant la mère et cajolant le fils. De ces deux amours comblé, comme il aurait oublié ses matins difficiles! Et puis il fixa son frère. Il s'interrogeait sur le pouvoir des mots qui pouvaient transformer un être attentif et doux en monstre indifférent et froid. Hocine croyait-il vraiment que le médecin l'avait trompé avec sa femme ou n'était-ce qu'un prétexte destiné à amoindrir ses remords? Kader regardait l'homme qui, au moment choisi, sortirait l'arme pour la braquer contre sa tempe. La parodie de justice qu'il avait subie ne servait-elle qu'à justifier un impérieux désir de vengeance? En prononçant la peine de mort et en se chargeant d'exécuter la sentence, qui Hocine voulait-il punir? Ceux qui l'avaient licencié, puis avaient interdit son retour au pays? Pourquoi alors s'en prendre à son cadet? Kader soupçonnait chez Hocine une obscure pulsion de meurtre, restée latente, et dont la résurgence s'habillait des oripeaux de l'Islam. Il eut envie de pleurer, non sur son sort, mais sur l'absurdité de cet enchaînement de circonstances.

Kader s'étendit sur le sable, doigts croisés sous la nuque. Il guetta vainement l'apparition d'une étoile.

– J'ai envie de dormir, dit-il à son frère. Veux-tu me réciter quelques versets du Coran?

Non, il n'était pas prêt à mourir.

15

Debout sur le balcon de sa fenêtre, Louisa contemple le précipice. Le soleil couchant colore de safran pâle l'abrupt versant de granit. La rumeur de la ville semble marquer une pause comme si la tendresse du crépuscule l'incitait à plus de retenue. Seuls quelques lointains cris d'enfants, troublant l'accalmie, parviennent à monter jusqu'à elle.

Louisa se sent lourde et éprouve dans son corps toute la force d'attraction du vide.

La veille, encore hagarde, elle s'est retrouvée en train de déambuler dans les rues de sa ville natale qu'elle s'était pourtant promis de ne plus jamais revoir. Elle a eu l'impression d'évoluer en solitaire dans un espace parallèle. Elle glissait parmi les passants comme un ectoplasme dépourvu de densité. Elle n'arrivait pas à se convaincre de la réalité de ce qui l'entourait, comme si aux êtres et aux objets qu'elle percevait manquait une dimension essentielle, les laissant inconsistants. Elle ne parvenait même plus à ressentir les odeurs caractéristiques de la rue de son enfance, relents de grasse cuisine, senteurs de jasmin et effluves d'épices mêlés. Elle avait erré en somnambule parmi les étals du petit marché dont la profusion avait émerveillé les premières années de sa vie. Hébétée, elle avait buté contre le parapet qui interdisait le ravin : elle ne le croyait pas si proche. Coudes posés sur le rebord, tête entre les mains, elle avait longtemps contemplé l'abîme avant de reprendre sa dérive au hasard des ruelles capricieuses.

Elle avait longuement fixé d'un regard neutre une ancienne amie qui s'était précipitée à sa rencontre pour lui appliquer une paire de bises sonores. Louisa avait machinalement offert ses joues. Elle avait noté que l'empreinte de ces lèvres étrangères était bien différente de celle que lui laissaient les baisers de Kader. Elle se souvenait, bien sûr, affirma-t-elle en réponse à la question inquiète de l'importune, oui, elle se souvenait fort bien d'elle. Mais elle n'osa pas lui avouer que le temps de leur amitié lui semblait si lointain qu'elle s'étonnait que cette compagne d'autrefois fût encore en vie, comme si elle eût dû s'effacer du monde en même temps que de son propre esprit. Elle trouvait incongrue la présence de cette revenante volubile qui lui barrait le chemin. Elle la regardait en songeant à Kader. Elle faisait mine de l'écouter, mais n'entendait que la voix de Kader lui avouer enfin son amour.

Le regard froid de Louisa détaillait cette étrangère qui, pour nier l'insignifiance de sa vie, lui parlait de son mariage, de ses bijoux, de ses voyages. Et Louisa l'observait, cherchant à se remémorer cette époque où, ensemble, elles avaient dû sortir, s'amuser, rire, se confier quelques petits secrets et aussi peut-être leurs premiers émois d'adolescentes. Mais la silhouette qui gesticulait devant elle ne parvenait à éveiller dans son esprit aucun souvenir ni nostalgie. Elle subissait le flot verbal tout en se préoccupant de sa machine à laver qu'elle avait laissée en panne au moment de son départ. Allait-elle se remettre à fonctionner?

Elle ne reconnaissait plus Constantine. Elle se rappelait les taquineries de Kader qui la moquait pour son amour immodéré de cette ville qu'il qualifiait d'agglomérat de maisons inconfortablement perchées sur le dos d'un iguane. Il lui disait détester cette cité à la topographie cauchemardesque, pliée aux humeurs du rocher, aux multiples traquenards du gouffre à l'affût de ses rues et de ses habitants. Elle s'indignait de sa mauvaise foi, puis se ruait sur lui pour le faire taire sous l'assaut de ses baisers.

Louisa ne savait que répondre à son interlocutrice. Elle se contentait de vagues gestes tout en la dévisageant cliniquement.

Le buste de Louisa oscille au-dessus du vide. Elle est prise de vertige à l'idée du futur béant devant elle. Comment occuper ces jours dont la prévisible succession se profile comme une menace? Kader, en un rien de temps, avait réussi à emplir tout son univers et à gommer son passé. Aurait-elle désormais le courage de recommencer à vivre comme autrefois? Serait-elle seulement capable d'accomplir les gestes quotidiens les plus banals, se laver, s'habiller, acheter du pain, faire la vaisselle?

Revenue dans la grande maison de son enfance, Louisa se sent de nouveau seule au monde. Aura-t-elle la force de survivre?

Achevé d'imprimer en mars 2011
sur presse rotative numérique
par DUPLI-PRINT
à Domont (95)
pour le compte des Éditions Stock
31, rue de Fleurus, 75006 Paris

Imprimé en France

Dépôt légal : mars 2011
N° d'édition : 15 – N° d'impression : 170629
54-02-4234/8